나 의 첫 문 법 파 트 너

초등영문법 777

UNIT 01

명사

공부한 날 : 복습한 날 : 부모님 확인 :

명사는 '수'에 굉장히 예민한 친구랍니다. 우리말의 명사는 단수일 때랑 복수일 때랑 기본 형태에 큰 차이가 없지만, 영어의 명사는 형태가 달라져요. 책 한 권과 책 두 권을 예로 들어볼까요?

명사가 하나면 **단수**

명사가 둘 이상일 땐 **복수**

이렇게 셀 수 있는 명사가 하나, 즉 단수일 때에는 그 앞에 항상 a나 an을 씁니다.

명사가 자음 소리로 시작하면 a!

모음[a, e, i, o, u] 소리로 시작하면 an!

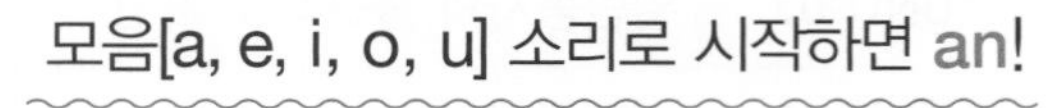

셀 수 있는 명사가 둘 이상일 때 복수형으로 만드는 방법은 여러 가지가 있답니다. 1권에서 그 방법을 배웠는데 다들 기억하고 있나요? 그림을 보면서 함께 복습해 봅시다.

명사의 복수형 만들기

규칙	대부분의 명사	+-s	tree → trees
규칙	「자음 + y」로 끝날 때	y → i + -es	baby → babies
	-o, -x, -s, -sh, -ch로 끝날 때	+-es	box → boxes, glass → glasses
	-f 또는 -fe로 끝날 때	f/fe → +-ves	leaf → leaves, knife → knives
불규칙	• man – men • child – children • tooth – teeth • mouse – mice		

Tip 단수와 복수의 형태가 같은 것들도 있어요.

셀 수 있는 명사가 하나면 "단수", 둘 이상이면 "복수"!
잠깐! 셀 수 있는 명사가 있다는 건, 셀 수 없는 명사도 있다는 말이잖아.

그래요. 명사에는 하나, 둘 ……이라고 셀 수 있는 명사와 그렇게 셀 수 없는 명사가 있답니다. 셀 수 없는 명사의 종류 세 가지를 기억하고 있나요?

하나! 고유명사 Korea, France, Jessica, Mina
나라 이름, 사람 이름처럼 특정한 명칭을 나타내며, 항상 대문자로 시작합니다.

둘! 물질명사 water, milk, bread, sugar, cheese
액체나 덩어리 등 일정한 형태가 정해져 있지 않은 명사를 말합니다.

셋! 추상명사 love, peace, honesty, friendship
정해진 모양이 없고 눈에 보이지도 않지만 의미상으로 존재하는 명사를 말합니다.

연습문제

문제를 풀고 녹음 파일을 따라 읽고 연습하세요. MP3 3권 본문 UNIT 01
정답 및 해석 p. 109

Step 1 나머지 넷과 다른 명사에 ○표 하세요.

01	cat	apple	(Jane)	banana	doll
02	water	pencil	book	spoon (숟가락)	baby
03	milk	juice	bread	water	box
04	love	beauty (아름다움, 미)	honesty (정직)	child	peace (평화)

05	Tom	Tokyo	China	lemon	America (미국)
06	sugar	cup	key	bottle ((유리)병)	table
07	telephone	earring (귀걸이)	cheese	clock (시계)	door

Step 2 단어의 복수형태를 쓰세요.

01 an orange ⇨ oranges

02 a dog ⇨ ____________

03 a city (도시) ⇨ ____________

04 a dish (접시, 음식) ⇨ ____________

05 a tooth ⇨ ____________

06 a lady (숙녀) ⇨ ____________

07 a knife ⇨ ____________

08 a bus ⇨ ____________

09 a mouse ⇨ ____________

10 a potato ⇨ ____________

11 a child ⇨ ____________

12 a man ⇨ ____________

Step 3 단어의 단수형태를 쓰세요.

01 boxes ⇨ a box

02 feet ⇨ a ____________

03 strawberries ⇨ a ____________

04 nurses ⇨ a ____________

05 maps ⇨ a ____________

06 houses ⇨ a ____________

07 leaves ⇨ a ____________

08 dresses ⇨ a ____________

09 deer (사슴) ⇨ a ____________

10 sheep (양) ⇨ a ____________

11 fish ⇨ a ____________

12 wives ⇨ a ____________

Step 4 셀 수 없는 명사에 ○표 하세요.

01 ☐ fish
ⓞ milk

02 ☐ friendship
☐ desk

03 ☐ movie 영화
☐ love

04 ☐ computer
☐ air 공기, 대기

05 ☐ light 빛
☐ speaker 화자, 연설가

06 ☐ Japan
☐ deer

07 ☐ stick 막대기
☐ water

08 ☐ orange
☐ bread

중학교 내신 시험에 꼭 나오는 문법 요점 정리 | 명사

● **셀 수 있는 명사**
- 하나일 때는 명사 앞에 (①) 나 an을 붙여 준다.
- 두 개 이상일 때는 명사 뒤에 -s를 붙여 복수형임을 알려준다.

● **명사의 복수형 만들기**

<table>
<tr><td rowspan="4">규칙</td><td>대부분의 명사</td><td>+-s</td><td>tree → trees</td></tr>
<tr><td>「자음 + y」로 끝날 때</td><td>y → i+-es</td><td>baby → (②)</td></tr>
<tr><td>-o, -x, -s, -sh, -ch로 끝날 때</td><td>(③)</td><td>box → boxes, glass → glasses</td></tr>
<tr><td>-f 또는 -fe로 끝날 때</td><td>f/fe → +-ves</td><td>leaf → (④)</td></tr>
<tr><td>불규칙</td><td colspan="3">• man → men • child → (⑤) • tooth → (⑥)
• mouse → mice • fish → (⑦) • sheep → sheep • deer → deer</td></tr>
</table>

● **셀 수 없는 명사**
- 고유명사: 나라 이름, 사람 이름처럼 특정한 명칭을 나타내는 명사
  예) Korea, America, Anna, Mina
- 물질명사: 일정한 형태가 없는 명사 예) water, sugar, cheese, bread
- 추상명사: 의미상으로만 존재하는 명사 예) love, peace, honesty, friendship

① a ② babies ③ +-es ④ leaves ⑤ children ⑥ teeth ⑦ fish

UNIT 02

명사를 대신하는 대명사

공부한 날 : 복습한 날 : 부모님 확인 :

대명사의 '대(代)'는 '대신하다'는 뜻입니다. 즉, 대명사는 명사를 대신해 쓰는 말인 거죠.
대명사에는 크게 인칭대명사와 지시대명사가 있어요. 하나씩 살펴 보아요.

인칭대명사 – 주격 문장에서 주어 자리에 오는 대명사입니다. '~은(는), 이(가)'라고 해석합니다.

인칭대명사 – 소유격 소유격은 '~의'라는 의미로 어떤 사물, 대상을 가진 주인을 나타낼 때 씁니다.
이 때는 항상 명사와 함께 쓰입니다. 그래서, 소유형용사라고도 해요.

인칭대명사 – 목적격 문장에서 목적어 자리에 오는 대명사입니다. '~을, ~를'이라고 해석합니다.

인칭대명사 – 소유대명사

소유대명사는 대명사 안에 무엇을 '가진'이라는 의미가 포함되어 있어서 '~의 것'이라고 해석합니다.

This book is mine.
이 책은 내 것이다.

That car is hers.
저 차는 그녀의 것이다.

This dog is his.
이 개는 그의 것이다.

These chairs are ours.
이 의자들은 우리 것이다.

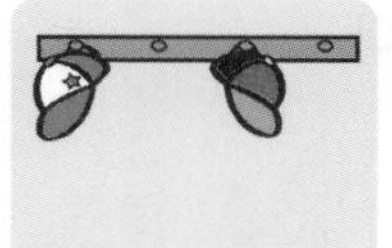
Those caps are theirs.
저 모자들은 그들의 것이다.

These flowers are yours.
이 꽃들은 너의 것이다.

주격 대명사	소유격 대명사	목적격 대명사	소유대명사
I	my	me	mine
you	your	you	yours
he	his	him	his
she	her	her	hers
it	its	it	없음
we	our	us	ours
they	their	them	theirs

잠깐! 대명사를 사용하지 않고 구체적인 사람의 소유격을 말할 때엔 명사 뒤에 's를 붙이면 됩니다.

my father's car
아빠의 차

Jane's book
Jane의 책

지시대명사

가깝거나 멀리 있는 물건이나 사람을 가리키는 대명사로, this(이것, 이 사람)와 that(저것, 저 사람)이 있습니다. this와 that의 복수형인 these와 those는 각각 '이것들, 이 사람들', '저것들, 저 사람들'의 의미랍니다.

This is my book.
이것은 나의 책이다.

That is her book.
저것은 그녀의 책이다.

These are my books.
이것들은 나의 책들이다.

Those are her books.
저것들은 그녀의 책들이다.

연습문제

문제를 풀고 녹음 파일을 따라 읽고 연습하세요. MP3 3권 본문 UNIT 02
정답 및 해석 p. 109

Step 1 우리말 해석과 같도록 문장에 들어갈 단어를 [보기]에서 골라 쓰세요.

[보기] **these my it he your our she you her their theirs yours its that us him they this mine his**

01 I like Tom. He is kind. 나는 Tom을 좋아한다. 그는 친절하다.

02 That is Jane. ________ is beautiful. 저 사람이 Jane이다. 그녀는 아름답다.

03 ________ are bananas. 이것들은 바나나이다.

04 Sam and Amy sing a song. ________ are singers. Sam과 Amy는 노래를 부른다. 그들은 가수이다.

05 This is ________ cat. 이것은 나의 고양이다.

06 Is this ________ book? 이것이 너의 책이니?

07 ________ are an honest girl. 너는 정직한 소녀이다.
(honest: 정직한)

08 The notebook is ________. 그 공책은 나의 것이다.

09 They call ________ Jack. 그들은 그를 Jack이라고 부른다.
(call: ~을 …라고 부르다)

10 My bag is blue, and ________ is yellow. 내 가방은 파란색이고 너의 것은 노란색이다.

11 ________ is my grandmother's comb. 이것은 우리 할머니의 빗이다.
(comb: 빗)

12 I went to ________ school. 나는 그들의 학교에 갔다.

13 Anna takes ________ to the zoo. Anna는 우리를 동물원에 데리고 간다.
(takes: ~을 데려가다, zoo: 동물원)

14 Can you see ________ in the picture? 넌 사진 속에서 그녀를 볼 수 있니?

15 I don't remember ________ name. 나는 그것의 이름을 기억하지 못한다.
(remember: 기억하다)

16 ________ is my computer. 저것은 나의 컴퓨터이다.

17 I watched the movie. ________ was fun. 나는 영화를 보았다. 그것은 재미있었다.

18 ________ teacher is always kind. 우리 선생님은 항상 친절하시다.

19 This car is not mine. It is __________. 이 차는 내 것이 아니다. 그것은 그의 것이다.

20 It wasn't our idea. It was __________. 그것은 우리의 아이디어가 아니었다. 그것은 그들의 것이었다.

Step 2 밑줄 친 대명사가 소유격이면 '소', 목적격이면 '목'이라고 쓰세요.

01 Here is your sandwich. .... (소)

02 Please don't forget its name and size. .... ( )
forget: 잊어버리다

03 You will show them the picture. .... ( )

04 He didn't meet her father. .... ( )

05 She sat on his chair. .... ( )

06 These are their books. .... ( )

07 She looked at it closely. .... ( )
closely: 면밀히, 꼼꼼하게

중학교 내신 시험에 꼭 나오는 문법 요점 정리 | 명사를 대신하는 대명사

- (①): 문장의 주어 자리에 오는 대명사로 '~은, ~는, ~이, ~가'로 해석
- **소유격 대명사**
  - 어떤 사물, 대상을 가진 주인을 나타내며 '~의'로 해석
  - (②)와 함께 쓰인다.
  - 구체적인 사람의 소유격을 말할 때 명사 뒤에 (③)를 붙인다.
- (④): 문장의 목적어 자리에 오는 대명사로 '~을, ~를'로 해석
- **소유대명사**
  - 소유의 의미가 포함되어 있어서 '~의 것'으로 해석
- (⑤): 가깝거나 멀리 있는 물건이나 사람을 가리키는 대명사
  - this (이것, 이 사람) – (⑥) (이것들, 이 사람들)
  - (⑦) (저것, 저 사람) – those (저것들, 저 사람들)

주격 대명사	소유격 대명사	목적격 대명사	소유대명사
I	my	(⑩)	mine
you	your	you	(⑬)
he	(⑧)	him	his
she	her	(⑪)	hers
it	(⑨)	it	없음
we	our	us	(⑭)
they	their	(⑫)	theirs

① 주격 대명사 ② 명사 ③ 's ④ 목적격 대명사 ⑤ 지시대명사 ⑥ these ⑦ that ⑧ his ⑨ its ⑩ me ⑪ her ⑫ them ⑬ yours ⑭ ours

UNIT 03

영어의 8품사

공부한 날 :　　　　　복습한 날 :　　　　　부모님 확인 :

영어 문장은 다양한 역할을 하는 단어들로 이루어져 있습니다. 그 각각의 역할에 따라 단어를 분류해 놓은 것을 '품사'라고 하는데요, 영어의 품사에는 8가지가 있어요. 함께 학습해 볼까요?

명사 (Noun)

사람, 물건, 동물, 장소 등의 이름을 나타내는 말을 명사라고 해요.

Sam

물건

book

cat

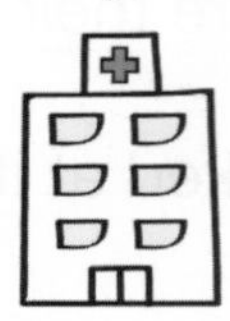

hospital

대명사 (Pronoun)

사람이나 사물의 이름을 대신하여 부르는 말을 대명사라고 해요.

사람 대신	**I** 나 **you** 너 **he** 그 **she** 그녀 **we** 우리 **they** 그들
사물 대신	**it** 그것 **this** 이것 **that** 저것 **these** 이것들 **those** 저것들

동사 (Verb)

움직임이나 상태를 나타내는 말을 동사라고 해요.
동사는 크게 Be동사와 일반동사로 나눌 수 있답니다.

Be동사	**am, is, are** ~(이)다
일반동사	**run** 달리다 **study** 공부하다 **cook** 요리하다

형용사 (Adjective)

명사를 꾸며 주거나 명사, 대명사를 좀 더 자세하게 설명해 주는 말을 형용사라고 해요.

tall 키 큰

old 늙은

big 큰

부사 (Adverb) 형용사, 동사, 문장 내의 다른 부사나 문장 전체를 꾸며 주는 말을 부사라고 해요.

slowly 천천히 **fast** 빠르게 **kindly** 친절하게

전치사 (Preposition) 명사나 대명사 앞에 놓여서 위치, 시간, 방향을 나타내는 말을 전치사라고 해요.

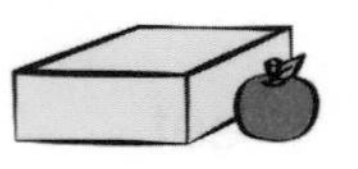

in ~ 안(에) **on** ~ 위(에) **under** ~ 아래(에) **between** ~ 사이(에) **beside** ~ 옆(에)

접속사 (Conjunction) 단어와 단어, 문장과 문장을 연결시켜 주는 말을 접속사라고 해요. '그리고', '그러나', '또는', '그래서' 같은 말이 여기에 속하죠.

감탄사 (Interjection) 기쁨, 슬픔, 놀람 등의 감정을 느껴 저절로 나오는 말을 감탄사라고 해요.

Wow!

Oops!

Oh!

연습문제

문제를 풀고 녹음 파일을 따라 읽고 연습하세요. MP3 3권 본문 UNIT 03
정답 및 해석 p. 109

Step 1 뜻이 어울리게 동사와 명사를 연결하세요.

01	speak (말하다)	•	• the piano
02	play	•	• a book
03	taste (맛보다)	•	• a song
04	read	•	• Chinese (중국어)
05	sing	•	• the soup

Step 2 단어가 어떤 품사에 속하는지 [보기]에서 골라 괄호 안에 쓰세요.

[보기] 명사 동사 전치사 접속사 감탄사 부사 형용사 대명사

01	in	(전치사)	02	Oh!	( )
03	pretty	( )	04	very	( )
05	eat	( )	06	people	( )
07	remember	( )	08	and	( )
09	children	( )	10	it	( )
11	on	( )	12	slowly	( )

Step 3 문장에서 형용사는 ○표, 부사는 □표, 대명사는 △표 하세요.

01 She has a beautiful dress.

02 Turtles walk slowly.
거북이

03 She is a lovely girl.

04 A cheetah runs fast.

05 We can get up early.
일어나다

06 He wears blue pants.
(옷을) 입다

07 You buy delicious ice cream.
맛있는

08 He studies very hard.
매우 열심히

09 This is a perfect painting.
완벽한 그림

10 I don't know her well.
잘

Step 4 문장에서 전치사는 ○표, 접속사는 □표, 감탄사는 △표 하세요.

01 Oh! There is a book on the table.

02 There is a cat under the chair.

03 Wow! There is a pretty flower.

04 It's between the bank and the park.
bank: 은행, park: 공원

05 You can take a bus or train.
train: 기차

06 The flower shop is in this building.

07 I missed the bus, so I ran.
missed: 놓치다

08 Mark and Jane play the piano.

UNIT 03

중학교 내신 시험에 꼭 나오는 문법 요점 정리 | 영어의 8품사

- (①): 사람, 동물, 물건, 장소 등의 이름을 나타내는 말
- **대명사:** 사람이나 사물의 이름을 대신해서 부르는 말

사람 대신	I 나, you 너, (②) 그, she 그녀, we 우리, (③) 그들
사물 대신	(④) 그것, this 이것, that 저것, these 이것들, (⑤) 저것들

- **동사:** 움직임이나 상태를 나타내는 말

Be동사	am, (⑥), are
일반동사	run 달리다, study 공부하다, cook 요리하다

- **형용사:** (⑦)나 대명사를 자세하게 설명해 주는 말
- **부사:** (⑧), 동사, 다른 부사나 문장 전체를 꾸며 주는 말
- **전치사:** 명사나 대명사 앞에서 위치, 시간, 방향을 나타내는 말

(⑨)	(⑩)	under	(⑪)	(⑫)
~ 안(에)	~ 위(에)	~ 아래(에)	~ 사이(에)	~ 옆(에)

- **접속사:** 단어와 단어, 문장과 문장을 연결시켜 주는 말

(⑬)	but	(⑭)	(⑮)
그리고	그러나	또는	그래서

- **감탄사:** 기쁨, 슬픔, 놀람 등의 감정을 느껴 저절로 나오는 말

① 명사 ② he ③ they ④ it ⑤ those ⑥ is ⑦ 명사 ⑧ 형용사 ⑨ in ⑩ on ⑪ between ⑫ beside ⑬ and ⑭ or ⑮ so

UNIT 04
문장의 주부와 술부

공부한 날 : 복습한 날 : 부모님 확인 :

복잡해 보이는 영어 문장도 크게 머리와 몸체로 나눌 수 있답니다. 영어 문장의 머리 부분은 '주부'라고 하고, 몸체는 '술부'라고 해요. 주부는 '누가'를 술부는 주부의 '행동이나 상태'를 나타내요.

퀴즈! 완전한 문장의 기차만이 움직일 수 있습니다. 다음 중 어떤 기차가 움직일까요?

정답은 세 번째 기차입니다.
첫 번째 기차에서는
eats라는 동사가 빠졌죠?

두 번째 기차에서는
He eats라는 주어와 동사가
빠졌네요.

완전한 문장이란
세 번째 기차처럼 주부와 술부를
모두 갖춘 문장을 말한답니다.

문장의 머리에 해당하는 주부에는 주로 '명사'와 '대명사'가 올 수 있답니다.

swims.

몸체에 해당하는 술부에는 '일반동사', '일반동사+목적어', 'Be동사+보어'가 올 수 있어요.

UNIT 04

연습문제

문제를 풀고 녹음 파일을 따라 읽고 연습하세요. MP3 3권 본문 UNIT 04
정답 및 해석 p. 109

Step 1 완전한 문장에 ○표, 아닌 것에 ×표 하세요.

01 This is my brother. [○]

02 sing together on the stage. (stage: 무대) [ ]

03 I a fancy car. (fancy: 고급의) [ ]

04 James left home. [ ]

05 I want to take a picture. (take a picture: 사진을 찍다) [ ]

06 play the piano. [ ]

07 She Mary. [ ]

08 We enjoyed the movie. (enjoyed: 즐기다) [ ]

09 My father writes novels. (novels: 소설) [ ]

10 My skin burns easily. (burns: (햇볕에) 타다) [ ]

11 Your dog pretty. [ ]

12 She cries. [ ]

13 My brother is excited. (excited: 신이 난) [ ]

14 We eat pizza. [ ]

15 They to the park. [ ]

16 thinks of her dream. (dream: 꿈) [ ]

17 Mr. Smith went to bed. [ ]

18 I am fine. [ ]

19 I remember the story. ☐

20 Around. ☐
사방에

21 They my book. ☐

22 Sam sits on the table. ☐

23 The dog. ☐

24 She is my favorite actress. ☐
가장 좋아하는 여배우

Step 2 문장에서 주부와 술부를 /표로 구분하세요.

01 Sam and Amy/play soccer.

02 She doesn't eat any vegetables.
채소

03 He eats two bananas.

04 I get up early.

05 I am very happy.

06 Jane is my friend.

07 I don't like the red color.

08 A monkey doesn't eat meat.
고기

09 I have a question.

10 Our English teacher answers my questions.

11 We drink water.

12 They don't like the present.
선물

13 She moved the chair.

14 I used my camera.

15 She can't get a prize.
상을 받다

16 This pie tastes like sugar.

17 Christmas is coming.

18 You follow this road.
follow 따라가다

19 My mother turned off the heater.
turn off ~을 끄다 / heater 난방기

20 I didn't get your message.
message 메시지

UNIT 04

Step 3 문장의 빈칸에 [보기]에서 알맞은 단어를 골라 쓰세요.

[보기] **they** **she** **is** **walk** **sad** **clean** **are** **scientist**
scientist 과학자

01 __She__ is my niece.
niece 여자 조카

02 We ________ the room for our guests.
guests 손님

03 My dog died. I am so ________.

04 The pictures ________ on the wall.

05 ________ are my classmates.
classmates 급우, 반 친구

06 He became a ________.
become ~이 되다

07 I ________ to the subway station every day.
subway station 지하철역 / every day 매일

08 It ________ snowing.

중학교 내신 시험에 꼭 나오는 문법 요점 정리 | 문장의 주부와 술부

문장의 머리이자 '누구'를 나타내는 부분을 (①), 몸체의 역할을 하며 '주부의 행동이나 상태'를 나타내는 부분을 (②) 라고 한다. 이 둘을 모두 갖춘 문장이 완전한 문장이다.

- 주부에 올 수 있는 것은?
  - (③)
  - 대명사
- 술부에 올 수 있는 것은?
  - (④)
  - (⑤)
  - Be동사 + 보어

① 주부 ② 술부 ③ 명사 ④ 일반동사 ⑤ 일반동사 + 목적어

UNIT 05

영어 문장의 종류

공부한 날 :　　　　복습한 날 :　　　　부모님 확인 :

우리는 물어볼 때, 아니라고 말할 때, 명령할 때, 권유할 때 등 상황에 따라서 각기 다른 종류의 문장을 사용해요. 이번에는 영어 문장의 종류에 대해 알아봅시다.

평서문

어떤 사실이나 상황을 서술하는 문장을 평서문이라고 해요. 평서문은 '주어+동사 ~'의 어순으로 쓰여요.

The sun rises in the east.
해는 동쪽에서 뜬다.

I am sad.
나는 슬프다.

She speaks English.
그녀는 영어를 말한다.

부정문

부정의 뜻을 지닌 문장을 부정문이라고 해요. Be동사 부정문은 be동사 뒤에 not을, 일반동사 부정문은 일반동사 앞에 do not 또는 does not을 넣으면 돼요.

I am not sad.
나는 슬프지 않다.

I do not like music.
= don't
나는 음악을 좋아하지 않는다.

He does not love her.
= doesn't
그는 그녀를 사랑하지 않는다.

의문문

물어볼 때 쓰는 문장을 의문문이라고 해요. 영어의 의문문에는 be동사나 do동사를 문장 맨 앞에 놓아 만드는 의문문과 의문사를 이용해 만드는 의문문이 있어요.

Are you Korean? 당신은 한국인인가요?

Do you have fun? 당신은 즐거운가요?

What do you have? 당신은 무엇을 가지고 있나요?

의문문에 쓸 수 있는 영어의 의문사를 살펴볼까요?

명령문

무엇인가를 시킬 때 즉, 명령할 때 쓰는 문장을 명령문이라고 해요. 명령문은 주어 You를 생략하고, 동사원형으로 시작해요. '~하지 마라'의 부정 명령문은 동사원형 앞에 Do not[Don't]을 씁니다.

Turn off the TV.
TV를 꺼라.

Be happy.
행복해라.

Do not run.
뛰지 마라.

청유문

어떤 행동을 같이 하자고 요청하는 문장을 청유문이라고 해요. 청유문은 「Let's+동사원형」으로 표현합니다.

Let's play soccer.
축구하자.

Let's study English.
영어 공부하자.

Let's get up early.
일찍 일어나자.

연습문제

문제를 풀고 녹음 파일을 따라 읽고 연습하세요. MP3 3권 본문 UNIT 05
정답 및 해석 p. 109

Step 1 문장이 평서문이면 '평', 부정문이면 '부', 의문문이면 '의', 명령문이면 '명', 청유문이면 '청'이라고 쓰세요.

01 Go to school. .... (명)

02 I buy him a nice wallet. .... ( )
wallet: 지갑

03 Let's eat some cake. .... ( )

04 They don't like cats. ( )

05 Are they engineers? ( )
엔지니어, 기사

06 Write your name on the paper. ( )

07 Is it a dog? ( )

08 They play music. ( )
음악

09 He doesn't have a car. ( )

10 Let's play baseball after school. ( )
방과 후(에)

11 Eat your lunch now. ( )

12 Do you like this song? ( )

13 Let's turn on the TV. ( )

14 You don't look like your mother. ( )

15 Why are you crying? ( )

16 Follow the rules. ( )
규칙

17 Let's go to the library. ( )
도서관

18 I don't want to sit there. ( )
거기에, 그곳에

19 Are you Chinese? ( )
중국인

20 When do you leave? ( )
떠나다

Step 2 문장을 지시에 따라 알맞은 문장으로 고쳐 쓰세요.

01 She plays tennis. ⇨ 의문문 Does she play tennis?

02 I play the violin. ⇨ 청유문 ______________________

03 You eat some vegetables. ⇨ 명령문 ______________________

04 He draws a picture. ⇨ 부정문 ______________________

~을 그리다 (draws)

05 You take a shower every day. ⇨ 명령문 ______________________

샤워하다 (take a shower)

06 He goes fishing with his brother. ⇨ 의문문 ______________________

go fishing 낚시하러 가다

07 He is our English teacher. ⇨ 의문문 ______________________

08 She thinks about her pet. ⇨ 부정문 ______________________

애완동물 (pet)

09 You watch movies. ⇨ 의문문 ______________________

10 We study at the library. ⇨ 청유문 ______________________

11 They listen to music. ⇨ 부정문 ______________________

12 She is a nurse. ⇨ 의문문 ______________________

13 We clean the house. ⇨ 청유문 ______________________

중학교 내신 시험에 꼭 나오는 문법 요점 정리 | 영어 문장의 종류

- **평서문**
  - 어떤 사실이나 상황을 서술하는 문장
  - (①   )의 어순
- **부정문**
  - 부정의 뜻을 가진 문장
  - be동사 뒤에 not, 일반동사 앞에 (②   )을 쓴다.
- (③   )
  - 물어볼 때 쓰는 문장
  - be동사나 do동사를 맨 앞에 놓거나 의문사를 사용해 만든다.
  - 의문사의 종류

Who	(④)	(⑤)	Why	(⑥)	How
누가	어디서	언제	왜	무엇	어떻게/얼마나

- **명령문**
  - 명령할 때 쓰는 문장
  - 주어 (⑦   )를 생략하고 (⑧   )으로 시작한다.
- **청유문**
  - 행동을 같이 하자고 요청하는 문장
  - 「(⑨   ) + 동사원형」의 형태

① 주어 + 동사 ② do not / does not ③ 의문문 ④ Where ⑤ When ⑥ What ⑦ You ⑧ 동사원형 ⑨ Let's

UNIT 01~05

진단평가 및 교내평가 대비 실전테스트

공부한 날 : 복습한 날 : 부모님 확인 :

UNIT 01 명사 UNIT 02 명사를 대신하는 대명사 UNIT 03 영어의 8품사 UNIT 04 문장의 주부와 술부 UNIT 05 영어 문장의 종류

01

다음 [보기] 단어의 복수형을 바르게 쓴 것을 고르세요.

[보기] foot

① feet ② foots
③ footes ④ foot

02

다음 표의 빈칸에 [보기]의 단어를 알맞게 분류해서 쓰세요.

[보기] him our its them my

목적격	소유격

03

다음 그림을 보고, 빈칸에 들어갈 알맞은 말을 쓰세요.

He ________ have a car.

04

다음 중 인칭대명사의 주격 · 소유격 · 목적격이 바르게 짝지어지지 않은 것을 고르세요.

	주격	소유격	목적격
①	I	my	me
②	you	your	you
③	we	our	us
④	she	hers	her

05

다음 중 올바른 문장을 두 개 고르세요.

① I in America.
② Finishes the work.
③ I ride my bike.
④ He eats three apples.

06

다음 그림을 보고, 우리말 해석과 같도록 빈칸에 알맞은 말을 쓰세요.

________ is your birthday?
(네 생일은 언제니?)

07

다음 문장이 완성되도록 관계있는 것끼리 연결하세요.

① I go •		• ⓐ her friend.
② She meets •		• ⓑ all the cookies.
③ He eats •		• ⓒ to church.

08

다음 그림을 보고, 빈칸에 들어갈 알맞은 단어를 고르세요.

_______ play soccer!

① Can't　　② Let's
③ Does　　④ Be

[09~10] 다음 빈칸에 공통으로 들어갈 알맞은 말을 쓰세요.

09 _________

- Sam _________ Amy sing a song.
- My mom is a doctor, _________ my aunt is a nurse.

10 _________

- I love him, _________ he doesn't love me.
- The boy is handsome, _________ lazy.

11

다음 문장의 종류를 [보기]에서 골라 쓰세요.

[보기] 청유문　평서문　명령문　부정문

- I am very happy. (　　　　)
- Don't run. (　　　　)
- I don't like that movie. (　　　　)
- Let's study English. (　　　　)

12

다음 그림에 맞는 대화가 되도록 주어진 글자로 시작하는 단어를 쓰세요.

A: (1) A_________ you Japanese?

B: No, I'm Korean.

A: (2) W_________! I'm Korean, too.

[13~14] 다음 우리말 뜻과 같도록 알파벳을 배열하여 단어를 쓰고 그것의 품사를 쓰세요.

13

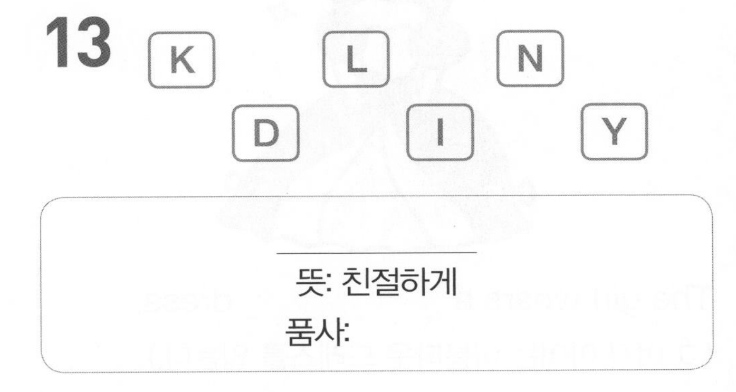

____

뜻: 친절하게

품사:

14

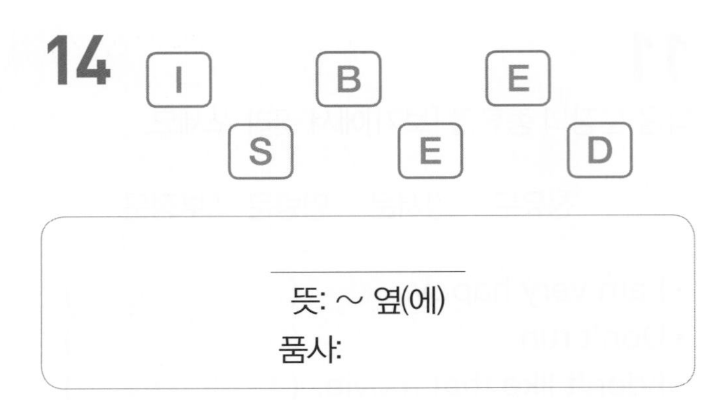

______
뜻: ~ 옆(에)
품사:

[15~17] 다음 그림을 참고하여 우리말 해석과 같도록 빈칸에 알맞은 말을 쓰세요.

15

The cat is ______ the box.
(고양이가 상자 안에 있다.)

16

The girl wears a ______ dress.
(그 여자 아이는 아름다운 드레스를 입는다.)

17

There is a book ______ the desk.
(책상 위에 책 한 권이 있다.)

18

다음 단어들 중 같은 품사끼리 모이지 않은 것을 고르세요.

① milk, juice, bread, water, hope
② fine, cool, run, well, wow
③ in, on, under, between, beside
④ this, that, these, those, I

19

다음 중 [보기]의 밑줄 친 부분과 품사가 같은 것을 고르세요.

[보기] The cheetah runs fast.

① She is lovely.
② There is a slow snail.
③ I always get up at 7.
④ The weather is cloudy and windy.

[20~24] 다음 문장에서 주부에는 ○표, 술부에는 □표 하세요.

20
A dog swims.

21
You should take a rest.

22
I want to eat some chocolate.

23
My homeroom teacher has two sons.

24
Mary and I study English in the library.

25
다음 그림에 맞게 대화에 들어갈 알맞은 말을 [보기]에서 골라 쓰세요.

[보기] When This It What

A: (1) ____________ does the baseball game begin?

B: (2) ____________ begins at 7 o'clock.

[26~27] 다음 문장에서 밑줄 친 부분을 고쳐 문장을 다시 쓰세요.

26
This watch is him.

⇨ ______________________________

27
Doesn't sit on the grass.

⇨ ______________________________

[28~30] 다음 단어들을 순서에 맞게 배열하여 문장을 완성하세요.

28
(my / notebooks / Those / are).

⇨ ______________________________

29
(play / Let's / this / table tennis / afternoon).

⇨ ______________________________

30
(noise / I / do / make / not / here).

⇨ ______________________________

UNIT 06

과거를 나타내는 문장

공부한 날 :　　　복습한 날 :　　　부모님 확인 :

이번에는 과거를 나타내는 문장에 대하여 알아볼까요? 왼쪽 그림의 어제와 오늘을 나타내는 문장에서 무엇이 다른가요? 맞아요. be동사의 모양이 서로 달라요. 이렇게 과거를 나타낼 때는 현재시제에 쓰이던 be동사 is, am이 was로, are는 were로 바뀐답니다.

이런 be동사 과거 문장의 부정문과 의문문은 어떻게 만들까요?

• 부정문　　• 의문문

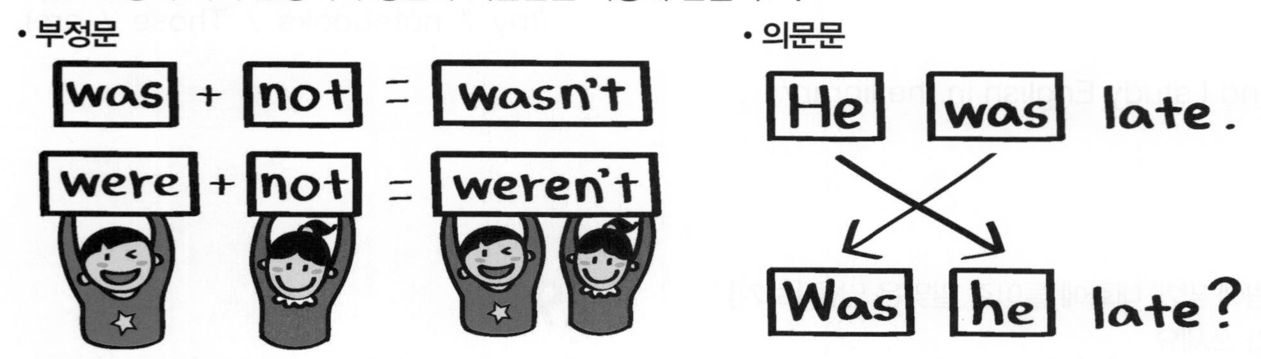

부정문은 be동사 과거형 was와 were 뒤에 not을 써서 만듭니다. was not은 wasn't로, were not은 weren't로 줄여쓰기도 해요. 의문문은 현재시제 의문문에서 그랬듯이, be동사 과거형을 주어 앞으로 보내서 만듭니다.

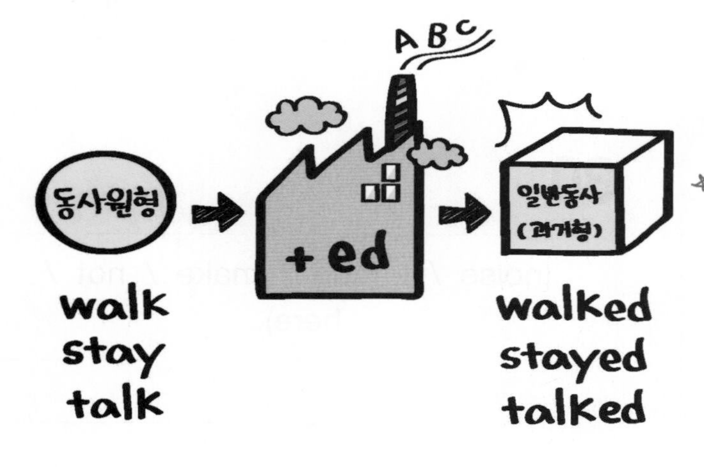

일반동사 역시 과거형으로 변신이 가능할까요? 물론이죠!
대부분의 일반동사 과거형은 「동사원형 +-ed」의 형태로 쓰는 규칙이 있어요.
이 규칙대로 쓰지 않고 불규칙적으로 쓰는 동사의 과거형은 다음 유닛에서 배워 볼게요.

연습문제

문제를 풀고 녹음 파일을 따라 읽고 연습하세요. MP3 3권 본문 UNIT 06
정답 및 해석 p. 109

Step 1 문장을 과거형으로 바꿔 쓰세요.

01 Mary is late. (late: 늦은) ⇨ Mary was late.

02 Ann isn't happy. ⇨ ______

03 I am sleepy. (sleepy: 졸린) ⇨ ______

04 Are they winners? (winners: 우승자, 승리자) ⇨ ______

05 We are a team. ⇨ ______

06 Is she sad? ⇨ ______

07 He is lucky. (lucky: 운이 좋은) ⇨ ______

08 I walk to school. ⇨ ______

09 We stay at home. (stay: 머무르다) ⇨ ______

10 They play soccer. ⇨ ______

11 We are angry. (angry: 화난) ⇨ ______

12 I talk with my teacher. ⇨ ______

13 Are you hungry? ⇨ ______

14 The students are excited. ⇨ ______

15 Is he rich? (rich: 부유한) ⇨ ______

16 She visits my house. (visits: 방문하다) ⇨ ______

UNIT 06

Step 2 긍정문은 부정문으로, 부정문은 긍정문으로 바꿔 쓰세요.

01 You were not at home yesterday. ⇨ You were at home yesterday.

02 Suji and I were late for school. ⇨ ______________________

03 He wasn't tall. ⇨ ______________________

04 They were nice people. ⇨ ______________________

05 I wasn't a princess. (princess: 공주) ⇨ ______________________

06 My dog wasn't sick yesterday. ⇨ ______________________

07 We were bad students. ⇨ ______________________

08 You were 10 years old. ⇨ ______________________

09 It was warm and soft. (warm: 따뜻한) ⇨ ______________________

10 They were Japanese. (Japanese: 일본인) ⇨ ______________________

Step 3 문장에서 과거형 동사에 ◯표 하세요.

01 I (walked) to my office. (office: 사무실)

02 He used this pencil.

03 It was cheap. (cheap: 저렴한, 싼)

04 They laughed at me. (laugh at ~을 비웃다)

05 He listened to music.

06 That wasn't fair. (fair: 공정한)

07 You looked scared. (scared: 겁먹은)

08 You were great.

09 I was angry.

10 She loved her grandfather.

11 He played the cello. (cello: 첼로)

12 They liked to go swimming.

13 They weren't kind to me.

14 It smelled very bad.

Step 4 동사를 과거형으로 바꿔 쓰세요.

01	wish (바라다)	⇨ wished	02	call	⇨ ______
03	jump	⇨ ______	04	open	⇨ ______
05	visit	⇨ ______	06	learn (배우다)	⇨ ______
07	want	⇨ ______	08	start	⇨ ______
09	cover (~로 덮다)	⇨ ______	10	turn (돌다)	⇨ ______
11	stay	⇨ ______	12	finish (끝나다, 끝내다)	⇨ ______
13	listen	⇨ ______	14	wash	⇨ ______
15	pass (지나가다)	⇨ ______	16	walk	⇨ ______
17	remember	⇨ ______	18	look	⇨ ______
19	play	⇨ ______	20	talk	⇨ ______

UNIT 06

중학교 내신 시험에 꼭 나오는 문법 요점 정리 | 과거를 나타내는 문장

● be동사의 현재형과 과거형

현재형	am	(①)	(②)
과거형	(③)	(④)	was

현재형처럼 과거형의 부정도 be동사 뒤에 not을 붙이고 줄여서 쓸 수 있다.

	was	were
부정	was not	were not
줄임말	(⑤)	(⑥)

의문문을 만들 때는 be동사를 주어 앞에 놓는다.

예) She was sick. → (⑦)?

● 일반동사의 과거형

대부분의 일반동사는 동사 뒤에 (⑧)를 붙인다.

예) watch – watched, talk – (⑨)

① are ② is ③ was ④ were ⑤ wasn't ⑥ weren't ⑦ Was she sick ⑧ -ed ⑨ talked

UNIT 07
일반동사의 불규칙 과거형

공부한 날 : 복습한 날 : 부모님 확인 :

이번에는 일반동사 과거형 만들기의 돌연변이, 불규칙 변화형을 알아볼까요?

불규칙 변화 동사는 과거형이 「동사원형 +-ed」의 단순한 형태가 아니랍니다.
아래 그림에서 보듯이, 불규칙 과거형 동사는 saw(보았다)나 went(갔다)처럼 동사원형과 아예 다른 형태도 있고, read(읽었다)처럼 동사원형과 같은 형태도 있답니다! 대표적인 불규칙 동사로는 다음과 같은 것들이 있습니다.

동사원형	과거형	동사 뜻	동사원형	과거형	동사 뜻
go	went	가다	see	saw	보다
come	came	오다	make	made	만들다
have	had	가지다, 먹다	read	read [red]	읽다
get	got	갖다	write	wrote	쓰다
tell	told	말하다	eat	ate	먹다
find	found	찾다	lose	lost	잃어버리다
drink	drank	마시다	sit	sat	앉다
break	broke	깨뜨리다	speak	spoke	말하다
fly	flew / flied	날다	think	thought	생각하다
know	knew	알다	meet	met	만나다
put	put	놓다	give	gave	주다

동사원형	과거형	동사 뜻	동사원형	과거형	동사 뜻
sleep	slept	잠자다	take	took	가지고 가다
feel	felt	느끼다	send	sent	보내다

일반동사 부정문을 만들 때 필요한 do나 does의 과거형은 무엇일까요?

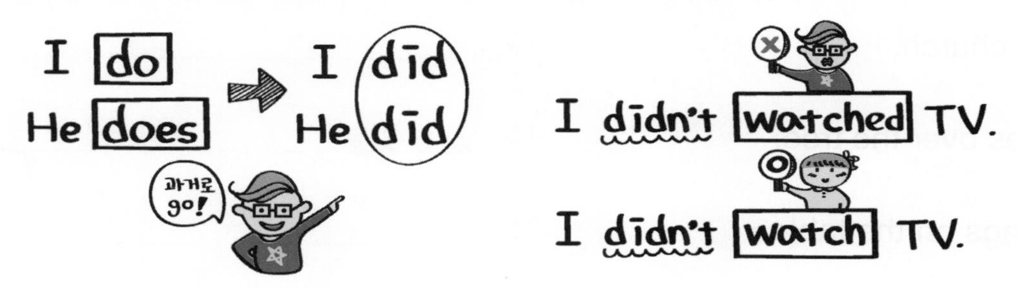

그림에서처럼 do나 does의 과거형은 모두 did로 통일된답니다!
일반동사 과거형의 부정문을 만들 때는 동사 앞에 did not, 줄여서는 didn't를 붙여 줍니다.
또한, 문장에서 did나 didn't가 들어가면 뒤에 오는 동사는 동사원형이 된다는 사실, 잊지 마세요~!

연습문제

문제를 풀고 녹음 파일을 따라 읽고 연습하세요. MP3 3권 본문 UNIT 07
정답 및 해석 p. 110

UNIT 07

Step 1 과거형 동사가 사용된 문장에 ○표, 아닌 것에는 ×표 하세요.

01 He doesn't watch TV. ×

02 She takes a bus to school.

03 I saw him.

04 He read the book yesterday.

05 He wrote this letter.

06 She makes some cookies.

07 He found the thief.
(found: find ~을 찾다, thief: 도둑)

08 She lost her backpack.
(lost: lose 잃어버리다, backpack: 책가방)

09 I drink milk every day.

10 We enjoy the summer vacation.
(summer vacation: 여름 방학)

Step 2 문장을 과거시제로 바꿔 쓰세요.

01 I sit on the bench. (sit: 앉다)
⇨ I sat on the bench.

02 He writes a book.
⇨ ____________________

03 I have two pencils.
⇨ ____________________

04 You make me angry. (make ~을 …하게 만들다) ⇨ ______

05 The baby sleeps on the bed. ⇨ ______

06 I get this shirt. ⇨ ______

07 She reads these books. ⇨ ______

08 He goes to church. ⇨ ______

09 The bird flies over the tree. (over ~ 위로) ⇨ ______

10 They put bags on the table. ⇨ ______

11 My brother breaks my glasses. ⇨ ______

12 This blanket feels soft. (blanket 담요) ⇨ ______

13 She sees a movie. ⇨ ______

Step 3 긍정문은 부정문으로, 부정문은 긍정문으로 바꿔 쓰세요.

01 I was sick yesterday. ⇨ I was not[wasn't] sick yesterday.

02 He didn't go to bed. (go to bed 잠자리에 들다) ⇨ ______

03 She ate lunch with her mom. ⇨ ______

04 You made a nice toy. (toy 장난감) ⇨ ______

05 They met my sister last night. ⇨ ______

06 We didn't read this book. ⇨ ______

07 Minji had many pens. ⇨ ______

08 My grandma didn't get a message. ⇨ ______

09 I bought a dress for Minji. ⇨ ______

10 We wrote a letter to our parents. ⇨ ______

Step 4 과거시제 문장이 되도록 밑줄 친 부분을 알맞게 고쳐 쓰세요. (단, 맞는 것은 ○표 하세요.)

01 I seed my cat on the street. ⇨ saw

02 I didn't ate much food. ⇨ ______
(much: 많은)

03 She goed to hospital with her mom. ⇨ ______

04 He didn't met her father. ⇨ ______

05 Your sister made a pretty doll. ⇨ ______

06 We readed a French book. ⇨ ______
(French: 프랑스의, 프랑스어의)

07 I didn't talk to her. ⇨ ______

08 He writed his name on the notebook. ⇨ ______

09 The doctor came to my home. ⇨ ______

10 The dog didn't got a name. ⇨ ______

11 She haved a beautiful dress. ⇨ ______

12 They got up late yesterday. ⇨ ______

UNIT 07

중학교 내신 시험에 꼭 나오는 문법 요점 정리 | 일반동사의 불규칙 과거형

- 대부분의 일반동사 과거형은 동사원형 뒤에 (①) 를 붙인다.
- 불규칙 동사의 예

동사원형	과거형	동사원형	과거형
go	(②)	see	saw
come	came	make	(③)
have	(④)	read	(⑤)
get	got	write	wrote

- 일반동사 과거시제의 부정형

did not[didn't] + (⑥)

① -ed ② went ③ made ④ had ⑤ read ⑥ 동사원형

UNIT 08
현재진행형

공부한 날 : 　　　　복습한 날 : 　　　　부모님 확인 :

평서문

현재진행형이 대체 뭘까요? 다음 그림을 한번 보세요.

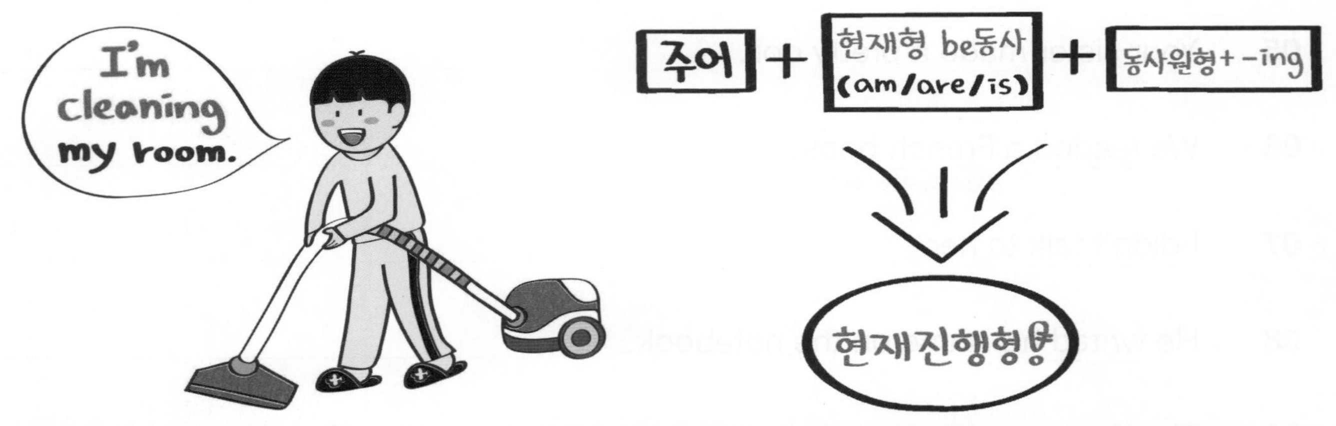

그림에서는 지금 청소를 하고 있군요. 이처럼 말하는 지금 순간에 어떤 행동을 하고 있을 때, 우리는 그것을 현재진행형이라고 부른답니다! 현재진행형의 형태는 위의 오른쪽 그림과 같이 「주어+현재형 be동사+동사원형+-ing」입니다.

의문문

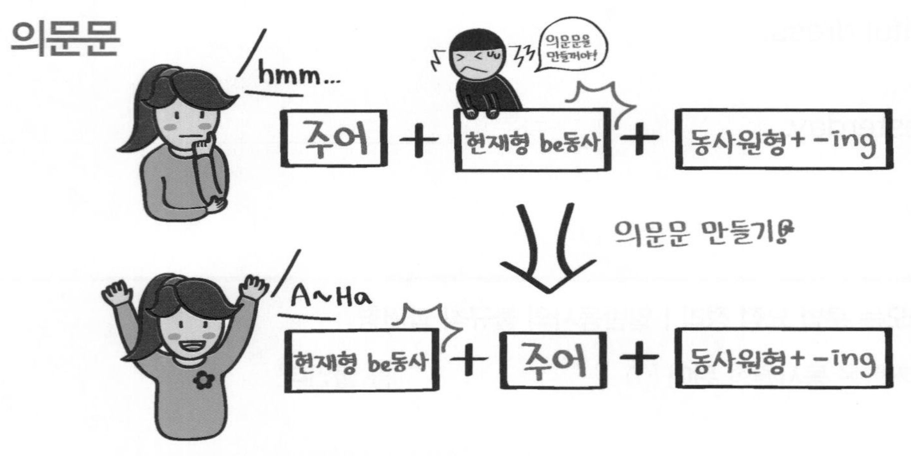

Are you reading the book?
너 그 책을 읽고 있니?

현재진행형에도 의문문 형태가 있겠죠? 그림을 보고 의문문 형태를 벌써 알아챈 친구도 있을 거에요. 이렇게 현재진행형의 의문문은 그림과 같이 be동사가 주어 앞으로 온 형태랍니다!

부정문

I'm not reading the book. 나는 그 책을 읽지 않는 중이다.

평서문, 의문문을 배웠는데 부정문이 빠지면 섭섭하죠! 현재진행형의 부정문은 be동사 바로 뒤에 not을 붙이면 된답니다. 간단하죠?

연습문제

문제를 풀고 녹음 파일을 따라 읽고 연습하세요. MP3 3권 본문 UNIT 08
정답 및 해석 p. 110

초777_3_p8

Step 1 현재진행형 문장에 ○표, 아닌 것에는 ×표 하세요.

01 I am going to school. ○

02 I swam in the pool. ☐

03 Mary slept on the sofa. ☐

04 She is crying. ☐

05 He is not watching TV. ☐

06 I told him the news. ☐

07 I saw him. ☐

08 Are you running to the park? ☐

09 He writes a letter to his friend. ☐

10 You are washing your hands. ☐

11 It is raining. ☐ (raining: 비가 내리다)

12 She chose her dress. ☐ (chose: choose 고르다)

13 He gave his gloves to her. ☐ (gloves: 장갑(복수형))

14 He is reading a newspaper. ☐

15 She is waking up her baby. ☐ (waking up: wake up ~을 깨우다)

16 We hold the key. ☐ (hold: 잡고 있다, 들고 있다)

17 They are selling apples. ☐ (selling: 팔다)

18 I am blowing the candles. ☐ (blowing: 불다, candles: 초, 양초)

19 He is doing his homework. ☐ (homework: 숙제)

20 We met the movie star. ☐ (movie star: 영화배우)

Step 2 문장을 현재진행형으로 바꿔 쓰세요.

01 I jog with my dad. (jog: 조깅하다)
⇨ I am[I'm] jogging with my dad.

02 He writes a poem. (poem: 시)
⇨ ______________________

03 I study math.
⇨ ______________________

04 He cleans the room.
⇨ ______________________

05 You bake bread. (bake: ~을 굽다)
⇨ ______________________

06 We read the newspaper. ⇨ ______
신문

07 I go to bed. ⇨ ______

08 I talk to my dog. ⇨ ______

09 I enjoy the horror movie. ⇨ ______
공포

10 He goes to work. ⇨ ______
직장

11 You grow some vegetables. ⇨ ______
키우다

12 She looks for the way to the museum. ⇨ ______
look for ~을 찾다 / 길 / 박물관

13 My sister waters the plants. ⇨ ______
물을 주다

14 We keep the big secret. ⇨ ______

15 They swim to the island. ⇨ ______
섬

16 You help your mother. ⇨ ______

17 The dog catches the ball. ⇨ ______
잡다

18 I make a spinach salad. ⇨ ______
시금치

19 He builds a tall bridge. ⇨ ______
짓다 / 다리

20 You ask a question. ⇨ ______
묻다, 질문하다

Step 3 괄호 안의 말을 이용하여 우리말 해석과 일치하도록 빈칸에 알맞은 말을 쓰세요.

01 Sam is listening to classical music. (listen) Sam은 고전 음악을 듣고 있다.
고전의

Sam listens to classical music. (listen) Sam은 고전 음악을 듣는다.

02 It ______________ a lot in December. (snow) 12월에는 눈이 많이 내린다.

December: 12월

It ______________ a lot. (snow) 눈이 많이 내리고 있다.

03 My mom ______________ me math. (teach) 우리 엄마가 내게 수학을 가르치고 계신다.

My grandmother ______________ science. (teach) 우리 할머니는 과학을 가르치신다.

science: 과학

04 We ______________ trees in April. (plant) 우리는 4월에 나무를 심는다.

April: 4월 / plant: (나무를) 심다

We ______________ trees in the garden. (plant) 우리는 정원에 나무를 심고 있다.

05 Birds ______________ in the sky. (fly) 새는 하늘을 난다.

Birds ______________ in the sky. (fly) 새가 하늘을 날고 있다.

06 He ______________ a bicycle to school. (ride) 그는 학교에 자전거를 타고 간다.

ride: (차, 자전거를) 타다

He ______________ a bicycle with his friends. (ride) 그는 친구들과 자전거를 타고 있다.

07 Leaves ______________ from the trees. (fall) 나뭇잎들이 나무들에서 떨어지고 있다.

Leaves ______________ from the trees in autumn. (fall) 가을에는 나뭇잎들이 나무들에서 떨어진다.

autumn: 가을

UNIT 08

08 We ______________ bread for breakfast. (eat) 우리는 아침 식사로 빵을 먹는다.

breakfast: 아침 식사

We ______________ bread in the kitchen. (eat) 우리는 부엌에서 빵을 먹고 있다.

kitchen: 부엌

중학교 내신 시험에 꼭 나오는 문법 요점 정리 | 현재진행형

- **현재진행형**
  - 현재 하고 있는 행동을 묘사할 때 쓰는 말
- **현재진행형의 형태**
  - 주어 + (① ______________) + 동사원형 + -ing
- **현재진행형의 의문문**
  - (② ______________) + 주어 + (③ ______________)?
- **현재진행형의 부정문**
  - 주어 + 현재형 be동사 + (④ ______________) + 동사원형 + -ing

① 현재형 be동사 ② 현재형 be동사 ③ 동사원형 + -ing ④ not

UNIT 09

과거진행형

공부한 날 : 복습한 날 : 부모님 확인 :

이번에는 과거진행형입니다. 과거면 과거지 과거진행형은 또 뭐냐구요?
다음 그림을 보세요.

주인공이 어제 전화가 왔을 때
자고 있느라 전화를 못 받았군요.
이처럼 과거 어느 시점에서 일정 기간 동안
어떤 행동을 지속했을 때, 우리는 그것을
과거진행형이라고 부른답니다!

과거진행형의 형태는 다음과 같답니다.

과거진행형에도 의문문 형태가 있겠죠? 어떻게 만드는지 벌써 알아챈 친구가 있나요?
과거진행형의 의문문은 다음과 같은 형태를 취한답니다!

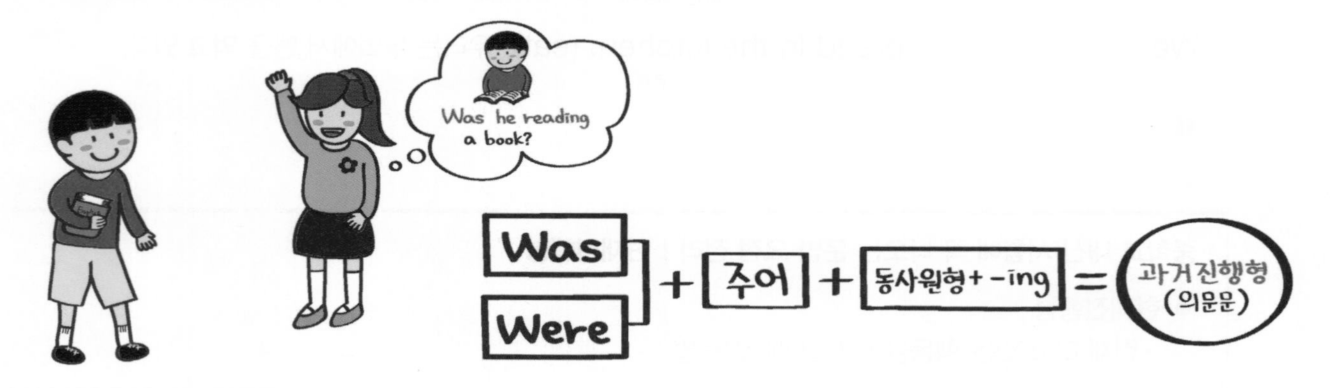

의문문을 배웠는데 부정문이 빠질 수 없겠죠!
과거진행형의 부정문은 was, were의 바로
뒤에 not을 붙이면 된답니다.
wasn't, weren't로 줄여 쓸 수
있다는 것도 꼭 알아두세요.

주어 + was / were (not) + 동사원형 + -ing = 과거진행형 (부정문)

연습문제

문제를 풀고 녹음 파일을 따라 읽고 연습하세요. MP3 3권 본문 UNIT 09
정답 및 해석 p. 110

Step 1 과거진행형 문장에는 ○표, 아닌 것에는 ×표 하세요.

01 I was walking on the street. ◯

02 I am having dinner. ☐ (have dinner 저녁을 먹다)

03 He was not watching TV. ☐

04 She is cooking spaghetti. ☐

05 Mary was sleeping. ☐

06 He is reading the book. ☐

07 I hated him. ☐ (hated 미워하다)

08 Were you running to the park? ☐

09 He was not writing a book. ☐

10 She was not driving. ☐

11 They are playing basketball. ☐

12 Sam was moving the box. ☐

13 The painting looked beautiful. ☐

14 He was flying the kite. ☐ (flying ~을 날리다, kite 연)

15 I was pushing the door. ☐ (pushing 밀다)

16 She missed her friend. ☐

17 I am riding a bicycle. ☐

18 He was washing the dishes. ☐ (wash the dishes 설거지하다)

Step 2 문장을 과거진행형으로 바꿔 쓰세요.

01 I am walking to school. ⇨ I was walking to school.

02 He does the laundry. (do the laundry 빨래를 하다) ⇨ ______________________

03 The dog barks at him. (barks 짖다) ⇨ ______________________

04 You are jumping. ⇨ ______________________

05 You make a doll for Amy. ⇨ ______________________

06 We are carrying bags. (carrying 나르다) ⇨ ______________________

07 I am flying. ⇨ ______________________

08 She is talking to my dog. ⇨ ______________________

09 He read this magazine. ⇨ ______________________
magazine 잡지

10 She is going shopping with him. ⇨ ______________________
go shopping 쇼핑하러 가다

11 The baby cries all night. ⇨ ______________________

12 We are studying for the test. ⇨ ______________________

13 She touched the wall. ⇨ ______________________
touched 만지다

14 They play the game. ⇨ ______________________

15 Sam draws the picture. ⇨ ______________________

16 He is breaking the glass. ⇨ ______________________

17 The monkey is eating a banana. ⇨ ______________________

18 She cleaned the table. ⇨ ______________________

19 The box is falling from the top. ⇨ ______________________
top 꼭대기, 맨 위

20 They hold hands. ⇨ ______________________

Step 3 문장을 지시에 따라 알맞게 고쳐 쓰세요.

01 He is laughing. ⇨ 과거진행형 He was laughing.

02 We were building the house. ⇨ 부정문 ______________________

03 She was staying here. ⇨ 의문문 ______________________

04 I was not teaching Japanese. ⇨ 긍정문 ______________________
Japanese 일본어

05 You were watching the program. ⇨ 의문문 ______________________

06 He is hiding the treasure. ⇨ 과거진행형 ______________________
hide 숨기다 / 보물

07 They were picking it up. ⇨ 부정문 ______________________
pick up ~을 줍다

08 We checked the camera. ⇨ 과거진행형 ______________________
점검하다

09 Sam was using the chopsticks. ⇨ 의문문 ______________________
젓가락

10 She was climbing up a ladder. ⇨ 부정문 ______________________
climb up 위로 올라가다 / 사다리

11 He takes a shower. ⇨ 과거진행형 ______________________

12 I called James. ⇨ 과거진행형 ______________________

13 My mom was making dinner for us. ⇨ 부정문 ______________________

14 They are singing a song. ⇨ 과거진행형 ______________________

15 I wasn't listening to music. ⇨ 긍정문 ______________________

16 She read a newspaper. ⇨ 과거진행형 ______________________

17 He was drinking milk. ⇨ 의문문 ______________________

18 You were swimming in the river. ⇨ 부정문 ______________________

UNIT 09

중학교 내신 시험에 꼭 나오는 문법 요점 정리 | 과거진행형

- **과거진행형**
  과거 어느 시점에 진행하고 있던 행동을 나타낼 때 쓴다.
- **과거진행형의 형태**
  · 주어 + (①) + 동사원형 + -ing
- **과거진행형의 의문문**
  · (②) + 주어 + (③)?
- **과거진행형의 부정문**
  · 주어 + (④) + (⑤) + 동사원형 + -ing

① was / were ② Was / Were ③ 동사원형 + -ing ④ was/were ⑤ not

UNIT 10

미래시제 will과 be going to

공부한 날 : 복습한 날 : 부모님 확인 :

영어에서 미래시제는 will과 be going to로 나타낼 수 있어요.

현재	과거	미래
am is are	was were	will be
play plays	played	will play

Be동사나 일반동사가 들어 있는 문장을 미래시제로 만들 때는 동사 앞에 will을 넣어 주면 돼요. 꼭 기억할 것은, will 다음에는 항상 '동사원형'이 온다는 것입니다.

be going to는 will과 같은 조동사 덩어리랍니다. 따라서 will처럼 뒤에는 동사원형이 오지요.

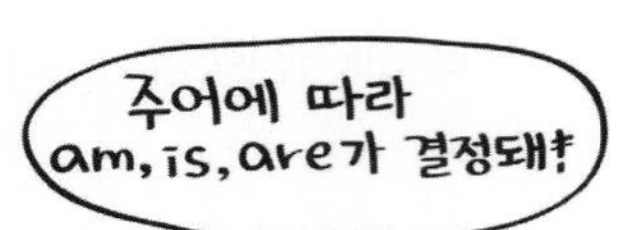

He is going to play soccer tomorrow.

(play: 동사원형)

그리고 be going to와 will 모두 다음과 같이 줄여 쓸 수 있습니다. be going to는 주어와 be동사를 줄여 쓰는 방법과 같다고 보면 됩니다. will도 주어와 함께 줄여 써요.

I'm going to visit America this summer.
나는 이번 여름 미국에 갈 거야.

I'll go with you.
나도 같이 가.

이번에는 will과 be going to의 부정문을 알아볼까요?
will의 부정문은 will 바로 뒤에 not을, be going to의 부정문은 be동사 바로 뒤에 not을 씁니다.

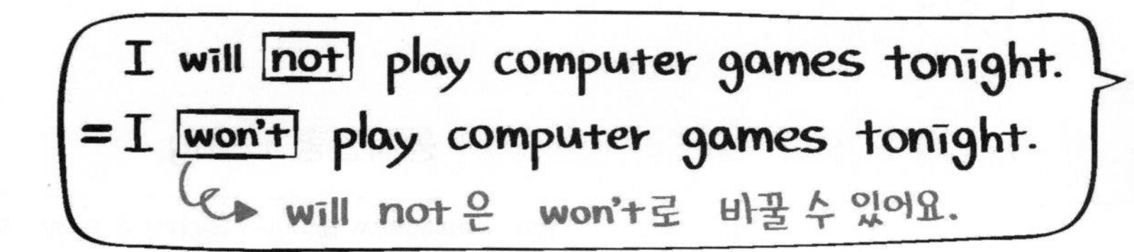

I will not play computer games tonight.
= I won't play computer games tonight.
will not은 won't로 바꿀 수 있어요.

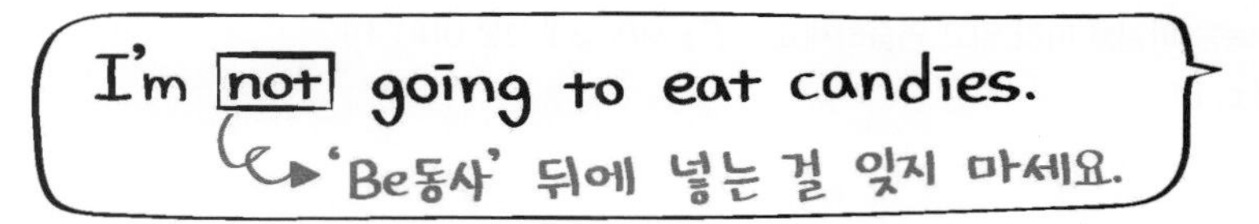

I'm not going to eat candies.
'Be동사' 뒤에 넣는 걸 잊지 마세요.

이번엔 will과 be going to의 의문문을 알아봅시다.

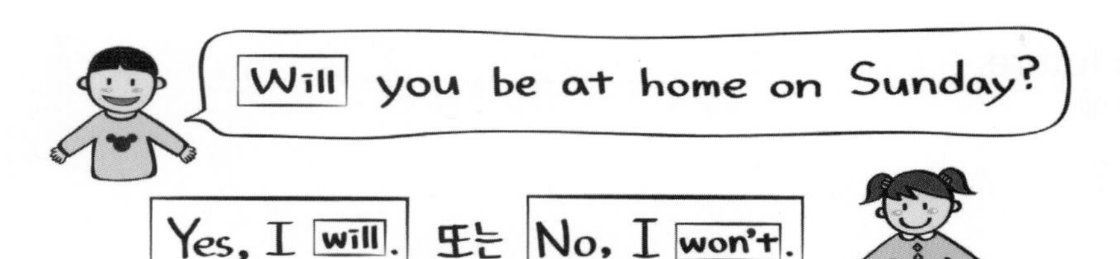

Will you be at home on Sunday?
Yes, I will. 또는 No, I won't.

Will 의문문에서는 will이 주어 앞에 옵니다. Will 의문문에 대한 대답은 Yes, 주어(대명사) will. 또는 No, 주어(대명사) won't.로 할 수 있답니다.

be going to 의문문에서는 be동사 의문문과 같이 be동사만 주어 앞에 옵니다.

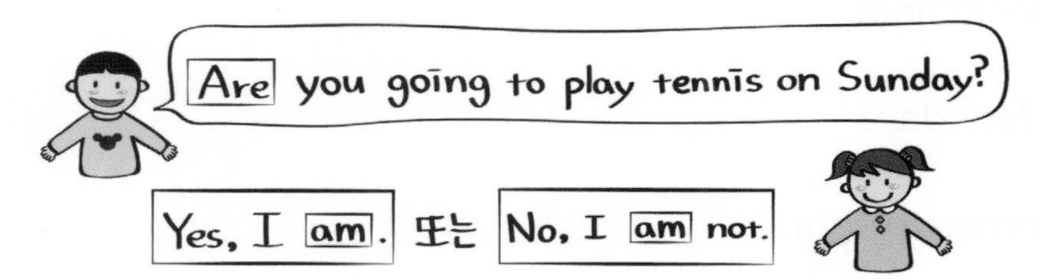

Yes, I am. 또는 No, I am not.

Be going to 의문문에 대한 대답은 be동사 의문문처럼 「Yes, 주어(대명사) + be동사.」 또는 「No, 주어(대명사) + be동사 + not.」으로 할 수 있습니다.

여기서 잠깐!
be동사가 있는 문장에서는 절대로 'do동사'가 앞으로 나와 의문문을 만들 수 없습니다.

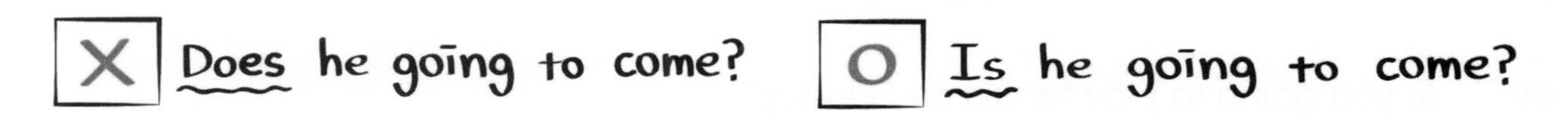

X Does he going to come?
O Is he going to come?

will과 be going to를 다음과 같이 구분해서 쓰기도 합니다. Sue와 Erica의 대화를 보세요. Sue와 Erica는 말하는 도중에 즉석에서 계획을 결정합니다. 이럴 경우에는 will을 써요.

That's a great idea.
We will invite our friends.

Be going to는 말하기 전에 먼저 결정한 것을 이야기할 때 쓰여요. Erica와 Dave의 대화를 봅시다. Erica가 이미 결정된 계획을 말하고 있죠? 이럴 경우에는 be going to를 써요.

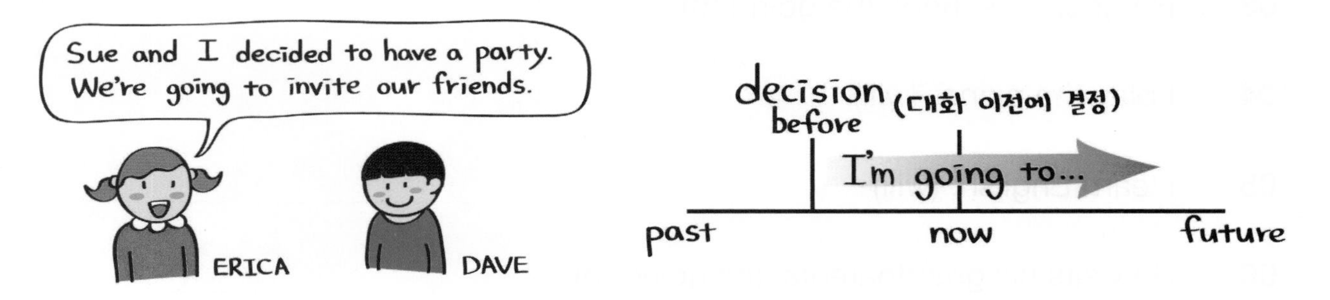

Sue and I decided to have a party.
We're going to invite our friends.

연습문제

문제를 풀고 녹음 파일을 따라 읽고 연습하세요. MP3 3권 본문 UNIT 10
정답 및 해석 p. 111

Step 1 문장의 밑줄 친 부분을 바르게 고쳐 쓰세요.

01 I will am a doctor in the future. (미래에) ⇨ be

02 Does he going to come? ⇨ ______

03 I not am going to give him a ticket. (표) ⇨ ______

04 She will plays soccer after school. ⇨ ______

05 Will you are at home on Monday? ⇨ ______

06 I willn't play computer games tonight. (오늘밤(에)) ⇨ ______

07 He is going to goes with you. ⇨ ______

08 I will visits America this vacation. ⇨ ______

09 Is you going to play tennis on Sunday? ⇨ ______

10 Are going to you play baseball? ⇨ ______

Step 2 괄호 안의 말을 사용하여 미래시제 문장으로 바꿔 쓰세요.

01 You like this cartoon. (will) (만화) ⇨ You will[You'll] like this cartoon.

02 She meets him. (will) ⇨ ______

03 He goes to school. (be going to) ⇨ ______

04 I play the piano. (will) ⇨ ______

05 I learn English. (will) ⇨ ______

06 He visits his grandparents. (be going to) ⇨ ______

07 We eat grapes. (be going to) ⇨ ____________________
(grapes: 포도)

08 I am a teacher. (will) ⇨ ____________________

09 We read a book. (will) ⇨ ____________________

10 You are a good student. (will) ⇨ ____________________

Step 3 두 문장의 뜻이 비슷해지도록 be going to는 will로, will은 be going to로 바꿔 쓰세요.

01 He is going to visit his cousin. = He will['ll] visit his cousin.

02 I won't get up early. = I ____________ get up early.

03 She will be a scientist. = She ____________ be a scientist.

04 We are going to meet at the front door. = We ____________ meet at the front door.
(front door: 현관, 정문)

05 They will take a picture. = They ____________ take a picture.

06 You will not have a party. = You ____________ have a party.
(have a party: 파티를 열다)

중학교 내신 시험에 꼭 나오는 문법 요점 정리 | 미래시제 will과 be going to

- **will**
  - be동사, 일반동사 (①   )에 쓴다.
  - will 뒤의 동사 형태는 (②   )
  - 부정문: 주어 + will + (③   ) + 동사원형
  - 의문문: (④   ) + 주어 + 동사원형 ~?
    → 대답: Yes, 주어 will. / No, 주어 (⑤   ).
  - 대화하는 도중에 결정한 계획에 쓴다.
- **be going to**
  - 주어에 따라 be동사가 결정된다.
  - be going to 뒤의 동사 형태는 (⑥   )
  - 부정문: 주어 + (⑦   ) + (⑧   ) + going to + 동사원형
  - 의문문: Be동사 + 주어 + (⑨   ) + 동사원형 ~?
  - 이미 결정된 계획을 말할 때 쓴다.

① 앞 ② 동사원형 ③ not ④ Will ⑤ won't ⑥ 동사원형 ⑦ be동사 ⑧ not ⑨ going to

UNIT 10

UNIT 06~10

진단평가 및 교내평가 대비 실전테스트

공부한 날 : 복습한 날 : 부모님 확인 :

UNIT 06 과거를 나타내는 문장 UNIT 07 일반동사의 불규칙 과거형 UNIT 08 현재진행형 UNIT 09 과거진행형 UNIT 10 미래시제 will과 be going to

01

다음 문장의 밑줄 친 부분을 현재진행형으로 바르게 고쳐 쓴 것을 고르세요.

He cooks a meal.

① cooking ② is cooking
③ is going to cook ④ was cooking

02

다음 표의 빈칸에 [보기]의 단어를 알맞게 분류해서 골라 쓰세요.

[보기] called went ran ate talked

불규칙 동사(과거형)	규칙 동사(과거형)

[03~04] 다음 그림을 보고, 괄호 안의 동사를 이용하여 우리말 해석과 같도록 빈칸을 채우세요.

03

He __________ a shower. (take)
(그는 샤워를 하는 중이었다.)

04

We are __________ baseball. (play)
(우리는 야구를 하는 중이다.)

05

다음 문장이 완성되도록 관계있는 것끼리 연결하세요.

① Amy went • • ⓐ her cousins.
② Sarah will meet • • ⓑ steak and rice.
③ Henry ate • • ⓒ to school.

06

다음 동사의 현재형과 과거형이 바르게 짝지어지지 않은 것을 고르세요.

	현재형	과거형
①	drink	drank
②	walk	walked
③	break	breaked
④	have	had

07

다음 그림을 보고, 빈칸에 들어갈 알맞은 단어를 고르세요.

I ________ play basketball tomorrow.

① was ② am
③ did ④ will

08

다음 중 과거시제 문장을 두 개 고르세요.

① He bought three pears.
② He will finish his homework.
③ I saw your new car.
④ I am from Australia.

[09~10] 다음 문장의 빈칸에 공통으로 들어갈 알맞은 말을 쓰세요.

09 ________

- Sam was ________ a song.
  (Sam은 노래를 부르는 중이었다.)
- He is ________ loudly.
  (그는 크게 노래를 부르고 있다.)

10 ________

- I ________ fishing yesterday.
  (나는 어제 낚시하러 갔다.)
- She ________ to church last week.
  (그녀는 지난 주에 교회에 갔다.)

11

다음 문장의 시제를 [보기]에서 골라 쓰세요.

[보기] 미래시제	과거시제
과거진행형	현재시제

- I am very sad. ( )
- He will jog with her. ( )
- I saw that program. ( )
- She was sleeping. ( )

12

다음 그림에 맞는 대화가 되도록 주어진 글자로 시작하는 단어를 쓰세요.

A: Are you (1) g________ ________ play soccer?

B: Yes, do you want to join us?

A: Yes! When (2) w________ you play soccer?

[13~14] 다음 우리말 뜻과 같도록 알파벳을 배열하여 단어를 쓰고 그 단어의 시제를 쓰세요.

13

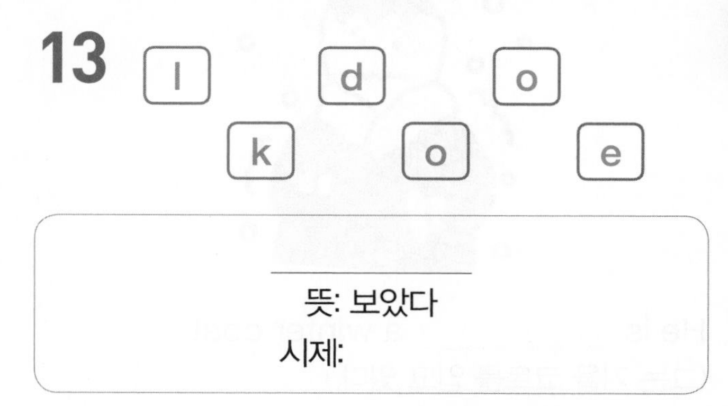

____
뜻: 보았다
시제:

UNIT 06~10 실전테스트

14

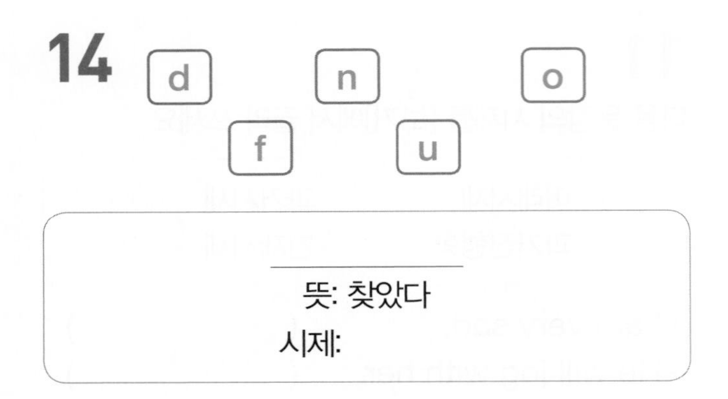

____

뜻: 찾았다

시제:

[15~16] 다음 그림을 참고하여 우리말 해석과 같도록 빈칸에 알맞은 말을 쓰세요.

15

He is __________ milk.
(그는 우유를 마시고 있다.)

16

He is __________ a winter coat.
(그는 겨울 코트를 입고 있다.)

[17~18] 다음 그림을 보고 괄호 안의 시제에 맞는 말을 빈칸에 쓰세요.

17

I __________ a book at 9 p.m. (현재시제)

18

I __________ the piano. (과거진행형)

19

다음 중 미래시제 문장을 고르세요.

① I was riding a bike.
② I will go to the park.
③ He went to the zoo.
④ I am walking on the street.

20

다음 중 [보기]의 밑줄 친 부분과 시제가 같은 것을 고르세요.

[보기] I <u>was sleeping</u> in my room.

① The weather <u>was</u> sunny.
② There <u>is</u> a running man on the street.
③ He <u>was doing</u> his homework.
④ I <u>am going to visit</u> her house next week.

[21~25] 다음 중 과거시제 문장에는 ○표, 미래시제 문장에는 ×표를 하세요.

21

They made some cookies for him. ☐

22

My homeroom teacher will come. ☐

23

We studied English in the library. ☐

24

I will dance with her on the stage. ☐

25

She is going to come home soon. ☐

26

다음 그림에 맞게 대화에 들어갈 말을 [보기]에서 골라 쓰세요.

[보기] did do looked looking

A: What (1) __________ you do yesterday?

B: I was (2) __________ for my dog all day.

27

다음 문장을 바르게 고쳐 다시 쓰세요. (단, 동사만 고쳐 쓰세요.)

I goed to an English lesson last week.

____

[28~30] 다음 단어들을 순서에 맞게 배열하여 문장을 완성하세요.

28

(sitting / I / on the bench / was).

⇨ ______________________________

29

(I / baseball / next / will / play / weekend).

⇨ ______________________________

30

(last / pizza / We / ate / Monday).

⇨ ______________________________

UNIT 06~10 실전테스트

UNIT 11
형용사의 쓰임

공부한 날 : 복습한 날 : 부모님 확인 :

명사와 동사, 특히 be동사에게는 절친이 하나 있는데 바로 '형용사'라는 친구예요.

This is a pretty flower.
이것은 예쁜 꽃이다.

This flower is pretty.
이 꽃은 예쁘다.

그림의 설명과 같이 명사를 꾸며 주거나, 동사와 함께 쓰여 주어의 상태나 성질을 보충 · 설명해 주는 말이 '형용사'랍니다.

형용사는 주로 자신이 꾸며 주는 명사 앞에 놓입니다.

형용사 + 명사

Jenny has long hair.
Jenny는 긴 머리를 하고 있다.

Look at the cute dog.
그 귀여운 개를 봐.

그런데, 이 세 단어에 주목해 주세요.

something
어떤 것
anything
아무 것
nothing
아무 것도 아닌 것

대부분의 형용사는 명사 앞에 놓이지만, 위의 세 단어와 함께 쓰일 때는 형용사가 항상 위의 명사 뒤에 위치한답니다.

Let's do something good for others.
다른 사람들을 위해 뭔가 좋은 일을 하자.

Do you need anything hot?
너는 뜨거운 것 아무거나 필요하니?

There is nothing interesting on TV.
TV에 재미있는 것이 하나도 없어요.

뿐만 아니라, 형용사는 be동사와 함께 쓰여 주어의 상태를 설명해 줘요.

Cindy is lovely.
Cindy는 사랑스럽다.

The weather is fine today.
오늘 날씨가 좋다.

그런데 형용사는 이 be동사 말고도 보고 듣고 느끼는 일명 '감각동사'와 함께 쓰이기도 해요.

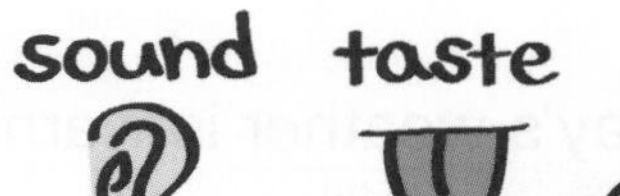

This smells good.
이것은 냄새가 좋다.

This soup tastes amazing.
이 수프는 맛이 끝내준다.

이렇게 감각동사 뒤에는 부사가 아닌 '형용사'가 옵니다. 시험에 잘 나오니까 꼭 알아두세요!!

마지막으로 형용사의 종류를 알아볼까요?

종류	단어와 의미
상태	beautiful (아름다운), nice (좋은), cute (귀여운), famous (유명한), handsome (잘생긴)
색깔	black (검은), white (흰), blue (파란), red (빨간), yellow (노란), green (녹색의), gray (회색의)
크기	big (큰), little (작은), huge (거대한), tall (키가 큰), short (키가 작은)
날씨	sunny (화창한), rainy (비 오는), cloudy (구름 낀), windy (바람 부는), hot (더운), cool (시원한)
맛	sweet (달콤한), sour (신), salty (짠), spicy (매운), bitter (쓴), hot (매운)

연습문제

문제를 풀고 녹음 파일을 따라 읽고 연습하세요. MP3 3권 본문 UNIT 11
정답 및 해석 p. 111

Step 1 문장에서 형용사를 찾아 ○표 하세요.

01 She is a (good) teacher.

02 Mr. Lee is an honest man.

03 I have something cold to drink.

04 That sounds great.
멋진, 좋은

05 He likes green apples.

06 The bread tastes fantastic.
환상적인

07 He did something nice to people.
사람들

08 There is nothing wrong with this book.
잘못된

09 Today's weather is warm.
날씨

10 She has brown hair.

11 This melon is very sweet.
멜론

12 The dark clouds are in the sky.
어두운 구름

13 Amy's cute dog sleeps in her arms.

14 The cell phone is too expensive.

15 Soccer is an interesting sport.

Step 2 괄호 안에서 알맞은 것에 ○표 하세요.

01 She wants (something sweet / sweet something).

02 He is a (smart boy / boy smart).
영리한, 똑똑한

03 Would you like (cold something / something cold) to drink?

04 I don't like (slow anything / anything slow).

05 She likes (pink dresses / dresses pink).
분홍의

06 She (is / smells) pretty.

07 The lemon (sounds / tastes) sour.
신, 시큼한

08 He needs (pretty something / something pretty) for her present.
필요로 하다

09 He is a (famous singer / singer famous).

10 I like (weather windy / windy weather).
바람이 부는

11 This coat (is / does) warm.

12 Mary wants to wear (something warm / warm something).

13 There is (new nothing / nothing new) in this room.

Step 3 밑줄 친 부분을 바르게 고쳐 문장을 다시 쓰세요.

01 She is prettys. ⇨ She is pretty.

02 They do poor. ⇨ ____________
가난한

03 The dolls beautiful are. ⇨ ____________

04 He is a boy wise. ⇨ ____________
현명한, 지혜로운

05 Mary doesn't have special anything. ⇨ ____________

06 His bicycle is a blue. ⇨ ____________

07 Jane has hair short. ⇨ ____________

08 The clothes soft feel. ⇨ ____________
부드러운

중학교 내신 시험에 꼭 나오는 문법 요점 정리 | 형용사의 쓰임

- 형용사의 위치
  - be동사 뒤 또는 명사의 앞
- something, anything, (① ____________)과 형용사
  - 이때는 형용사를 명사 뒤에 쓴다.
- 감각동사와 형용사
  - 감각동사: smell, (② ____________), feel, sound, taste
  - 형용사의 위치: 감각동사 + 형용사

① nothing ② look

UNIT 12

2형식 문장과 감각동사

공부한 날 : 　　　　복습한 날 : 　　　　부모님 확인 :

영어 문장은 여러가지 구조를
갖고 있어요. 그 중에서
2형식 문장에 대해 알아봅시다.
2형식 문장의 구조는 「주어+동사+보어」에요.

He is a student.
주어 동사 보어(명사)

He is tall.
주어 동사 보어(형용사)

예문에서와 같이 보어 자리에는 '명사' 또는 '형용사'가 온답니다.

그런데 이 2형식 문장에서 특히 잘 쓰이는 동사가 있답니다. 바로 become, get, turn이죠.
이 동사들은 2형식 문장에서 '어떤 상태로 되다'라는 의미를 가져요.

Bora became a singer.
보라는 가수가 되었다.

She got angry.
그녀는 화가 났다.

His face turned red.
그의 얼굴이 붉게 변했다.

이 외에도 앞에서 배운 감각동사들이 2형식 문장에서 쓰여요. 이 감각동사 뒤에는 보어로 거의 대부분 '형용사'가 온답니다. 그렇다면 명사는 올 수 없을까요? 명사가 올 때는 명사 앞에 like를 써야 합니다.

look

smell

feel

taste
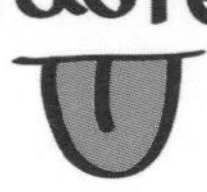

sound

+ 형용사 또는 like + 명사

예문을 보면서 확인해 보도록 해요.

He looks angry.
그는 화나 보인다.

He looks like a baseball player.
그는 야구선수처럼 보인다.

It tastes good.
그것은 맛이 좋다.

It tastes like a candy.
그것은 맛이 사탕 같다.

연습문제

문제를 풀고 녹음 파일을 따라 읽고 연습하세요. MP3 3권 본문 UNIT 12
정답 및 해석 p. 111

Step 1 단어들을 순서에 맞게 배열하여 문장을 완성하세요.

01 (is / short / She). ⇨ She is short.

02 (He / a / singer / is). ⇨ ______

03 (became / She / teacher / a). ⇨ ______

04 (like / This soap / a fresh apple / smells). ⇨ ______
(soap: 비누, fresh: 신선한)

05 (handsome / He / turned). ⇨ ______

06 (candy / The / sweet / tastes). ⇨ ______

07 (got / He / angry). ⇨ ______

08 (cute / You / look). ⇨ ______

09 (like / taste / a / These / cheese stick). ⇨ ______
(cheese stick: 치즈스틱)

10 (easy / That / sounds). ⇨ ______
(easy: 쉬운)

11 (smells / This / delicious). ⇨ ______

12 (looks / a doll / This baby / like). ⇨ ______

13 (Her son / a police officer / became). ⇨ ______
(police officer: 경찰관)

14 (sad / I / feel). ⇨ ______________________

15 (twelve / She / turns). ⇨ ______________________

Step 2 괄호 안에서 알맞은 것에 ○표 하세요.

01 You (look, taste) tired.
피곤한

02 He (is, smells) tall.

03 She (looks, looks like) a famous soccer player.

04 Her face (turned, felt) red.

05 It (sounds like, looks) a bell.

06 I (have, am) happy.

07 It (looks, tastes like) amazing.
놀라운

08 I (feel like, look) a teacher.

09 This candy (tastes like, tastes) an orange.

10 The clothes (feel like, smell) silk.
비단

11 He became (a writer, write).
작가

12 My mother's voice (sounds / sounds like) an angel.
천사

13 She became (strong, strongly).

14 You look (terrible, terribly).
끔찍한, 안 좋은

15 I got (angry, angrily).

Step 3 2형식 문장에 ○표, 아닌 것은 ×표 하세요.

01 I am Jessica. [○]

02 She became a singer. [ ]
가수

03 The baby needs love. ☐

04 I often go to the movies. ☐
(often: 자주, 종종 / go to the movies: 영화 보러 가다)

05 I got excited. ☐

06 She looks kind. ☐

07 I saw a wonderful picture. ☐
(wonderful: 근사한, 멋진)

08 The soup smells terrible. ☐

09 Your bag looks heavy. ☐

10 I have a younger sister. ☐

Step 4 맞는 문장은 ○표, 틀린 문장은 ×표를 하고 고치세요.

01 He feels ~~sadly~~. sad ☒

02 This chair is mine. ☐

03 My friend got angrily at me. ☐

04 Flowers are beautifully. ☐

05 The sky looks blue. ☐

06 She became happily. ☐

07 Your song sounds perfect. ☐

08 You looked like an engineer. ☐

09 The bread tastes chocolate. ☐

10 My face turned white. ☐

중학교 내신 시험에 꼭 나오는 문법 요점 정리 | 2형식 문장과 감각동사

- **2형식 문장**
  주어 + 동사 + (①)
- **보어 자리에는 명사 또는 (②)가 온다.**
- **2형식 문장에 특히 잘 쓰이는 동사**
  (③), get, turn의 뜻: ~한 상태로 되다
- **2형식 문장에 쓰이는 감각동사**

~하게 보이다 look	~한 냄새가 나다 (④)	~하게 느끼다 feel
~한 맛이 나다 (⑤)	(⑥) sound	

➕ (⑦) 또는 like + 명사

① 보어 ② 형용사 ③ become ④ smell ⑤ taste ⑥ ~하게 들리다 ⑦ 형용사

UNIT 13

꾸며 주기 좋아하는 부사

공부한 날 :　　　　복습한 날 :　　　　부모님 확인 :

부사는 꾸며 주는 걸 참 좋아하는 친구예요. 동사, 형용사, 다른 부사 혹은 문장 전체를 꾸며 준답니다.

Tom danced happily. (동사)　　**Ann is very angry.** (형용사)　　**The turtle walks so slowly.** (부사)

-ly로 끝나는 단어는 대부분 부사로, 「형용사 + -ly」의 형태를 띱니다.

slow (느린) + **-ly** → **slowly** (느리게)	**kind** (친절한) + **-ly** → **kindly** (친절하게)
quick (빠른) + **-ly** → **quickly** (빠르게)	**careful** (조심스러운) + **-ly** → **carefully** (조심스럽게)
clear (명백한) + **-ly** → **clearly** (명백하게)	**strong** (힘센) + **-ly** → **strongly** (힘세게)
safe (안전한) + **-ly** → **safely** (안전하게)	**beautiful** (아름다운) + **-ly** → **beautifully** (아름답게)

단, 형용사가 「자음+y」로 끝날 경우, y를 i로 고치고 -ly를 붙입니다.

heavy (무거운) + **-ly** → **heavily** (무겁게)　　**angry** (화난) + **-ly** → **angrily** (화나서)

잠깐! 형용사와 부사의 형태가 같은 경우도 있어요.

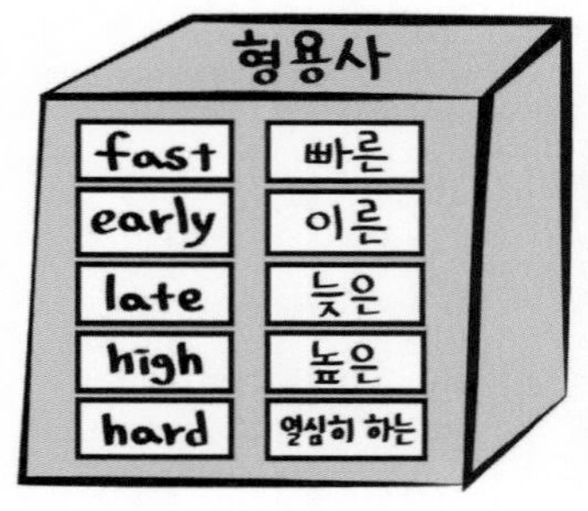

형용사
fast
빠른
early
이른
late
늦은
high
높은
hard
열심히 하는

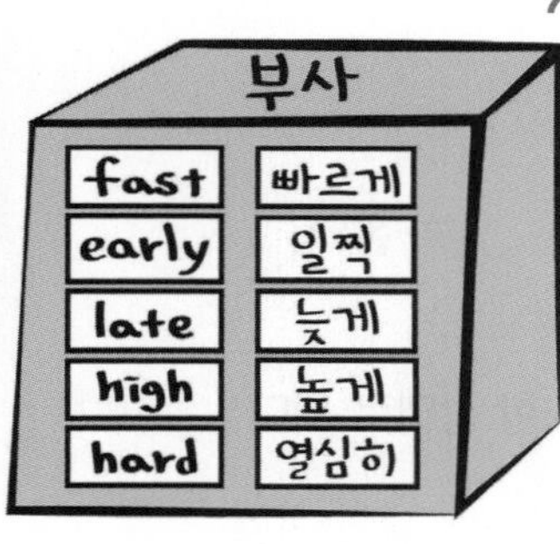

부사
fast
빠르게
early
일찍
late
늦게
high
높게
hard
열심히

This dog is fast. 이 개는 빨라. (형용사)

Yes! It runs fast. 응! 그것은 빨리 달려. (부사) (동사)

또 형용사와 부사의 형태가 아예 다른 경우도 있답니다.

She is good at speaking English.

그녀는 영어로 말하는 게 능숙해.

Yes! She speaks English well.

응! 그녀는 영어를 잘해.

이 외에도 부사에는 횟수를 나타내는 빈도부사가 있습니다.
빈도부사에는 다음과 같은 것이 있어요.

항상 (100%)	always	보통 (80%)	usually
자주, 종종 (60 ~ 70%)	often	가끔, 때때로 (40 ~ 50%)	sometimes
거의 ~ 않다 (10 ~ 20%)	rarely (=seldom)	결코 ~ 않다 (0%)	never

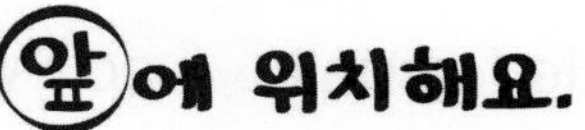

비조뒤일앞
비조뒤일앞
Be동사 조동사 뒤, 일반동사 앞에 위치해요.

예) ① **I'm usually home by 6 o'clock.** 나는 보통 6시면 집에 온다.
② **I will always remember you.** 나는 너를 언제나 기억할 거야.
③ **He sometimes eats cereal for breakfast.** 그는 아침으로 가끔 시리얼을 먹는다.

연습문제

문제를 풀고 녹음 파일을 따라 읽고 연습하세요. MP3 3권 본문 UNIT 13
정답 및 해석 p. 111

Step 1 문장에서 부사를 찾아 ○표 하세요.

01 Bora danced happily.

02 Diana spoke angrily.

03 Jason climbed carefully. (조심해서, 주의하여)

04 A rabbit runs fast.

05 Turtles walk very slowly.

06 She speaks English well.

07 They arrived at home safely.

08 I usually go to work by car. (자동차로)

09 He sometimes writes to me.

10 I am always happy.

11 She often goes to the movies.

12 I never eat fast food.

13 My brother got up early.

14 I went to the house quickly.

Step 2 괄호 안의 단어 중 맞는 것에 ○표 하세요.

01 He jumped (high / highly).

02 She studies (hard / hardly).

03 Our English teacher is (very / a lot) kind.

04 She spoke (angry / angrily).

05 He (usually / so) washes his car on weekends.
주말에

06 I go to bed (late / lately).

07 He goes to school (early / earlily).

08 He (seldom / hard) eats chocolate bars.

09 Jessie speaks Korean (well / good).

10 Amy is (rarely / such) late.

11 You always drive (fast / fastly).

12 Bill (late / sometimes) goes to his grandmother's house.

13 He answers the question (wise / wisely).
대답하다 / 지혜롭게

14 Jessica (very / always) has piano lessons.

15 I (never / hard) go to the movies.

Step 3 형용사를 부사 형태로 고치세요.

01	large	⇨ largely	02	kind	⇨ ________
03	clear (명확한)	⇨ ________	04	nice	⇨ ________
05	different (다른)	⇨ ________	06	fresh	⇨ ________
07	strong	⇨ ________	08	silent (조용한)	⇨ ________

09 wise ⇨ ____________ 10 cold ⇨ ____________

11 easy ⇨ ____________ 12 heavy ⇨ ____________

13 new ⇨ ____________ 14 slow ⇨ ____________

15 careful (조심하는) ⇨ ____________ 16 quiet (조용한) ⇨ ____________

17 quick (빠른, 빨리) ⇨ ____________ 18 poor ⇨ ____________

19 great ⇨ ____________ 20 sad ⇨ ____________

Step 4 다음 문장에서 밑줄 친 빈도부사의 위치가 맞으면 ○표, 틀리면 ×표 하세요.

01 The sky is usually blue. (○)

02 Paul eats always dinner with his family. (   )

03 I buy often books. (   )

04 They always are careful with cars. (   )

05 We can never trust him. (   )
믿다, 신뢰하다

06 My father rarely gets angry. (   )

중학교 내신 시험에 꼭 나오는 문법 요점 정리 | 꾸며 주기 좋아하는 부사

● 꾸며 주는 역할을 하는 부사

- 부사는 (①   ), 형용사, 다른 부사 혹은 문장 전체를 꾸며 준다.
- 대부분의 부사 형태 : (②   ) + -ly
  예) slow – slowly, quick – (③   ), safe – (④   )
- 「자음 + y」로 끝나는 형용사의 부사 형태 : y를 (⑤   )로 바꾸고 + -ly

● 빈도부사

항상 (100%)	(⑥)	보통 (80%)	(⑦)
자주, 종종 (60~70%)	often	가끔, 때때로 (40~50%)	sometimes
거의 ~ 않다 (10~20%)	rarely (=seldom)	결코 ~ 않다 (0%)	never

빈도부사의 위치는 be동사, (⑧   ) 뒤, 일반동사 앞!

① 동사 ② 형용사 ③ quickly ④ safely ⑤ i ⑥ always ⑦ usually ⑧ 조동사

UNIT 14
비교급 문장

공부한 날 : 복습한 날 : 부모님 확인 :

우리 누가 더 큰지 키 재 보자!!!

Tom is taller than Sam.

Tom은 Sam보다 키가 크다.

그림에서 보듯이 비교급은 둘 또는 그 이상의 사물의 성질이나 상태를 비교할 때 사용하는 표현이에요.

이런 비교급을 만드는 방법은 크게 네 가지입니다.

하나, **형용사 · 부사의 기본형 + -er + than** (단, 형용사 · 부사의 기본형이 -e로 끝나면 -r만 붙입니다.)

- larg**er than** ~보다 큰
- small**er than** ~보다 작은
- nic**er than** ~보다 좋은
- tall**er than** ~보다 키 큰
- short**er than** ~보다 짧은
- strong**er than** ~보다 강한
- weak**er than** ~보다 약한
- long**er than** ~보다 긴

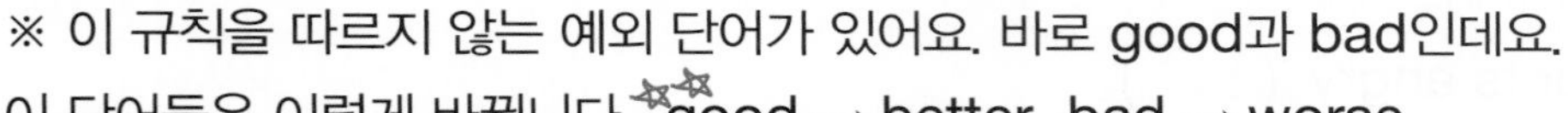

※ 이 규칙을 따르지 않는 예외 단어가 있어요. 바로 good과 bad인데요.
이 단어들은 이렇게 바뀝니다. good → better bad → worse

180cm

tall **taller**

둘, 형용사 · 부사의 기본형이 「자음 + y」로 끝나면 **y를 i로 고치고 + -er + than**

- eas**ier than** ~보다 쉬운
- bus**ier than** ~보다 바쁜
- prett**ier than** ~보다 예쁜
- funn**ier than** ~보다 재미있는
- happ**ier than** ~보다 행복한
- heav**ier than** ~보다 무거운

heavy **heavier**

셋, 형용사 · 부사의 기본형이 3음절 이상인 단어는 **more + 형용사 · 부사의 기본형 + than**

- **more** beautiful **than** ~보다 아름다운
- **more** expensive **than** ~보다 비싼
- **more** difficult **than** ~보다 어려운
- **more** excited **than** ~보다 흥분한
- **more** dangerous **than** ~보다 위험한
- **more** interesting **than** ~보다 흥미로운

$10

$20

expensive **more expensive**

넷, 형용사 · 부사의 기본형이 「단모음 + 단자음」으로 끝나는 경우,
마지막 자음을 한 번 더 쓰고 + -er + than

- **bigger than** ~보다 큰
- **fatter than** ~보다 뚱뚱한
- **hotter than** ~보다 더운

잠깐! 비교급 문장을 만들 때 꼭 필요한 단어가 있다는 것, 눈치챘나요?
바로 '~보다'라는 뜻의 than입니다. 그림과 예문을 통해 확인해 보아요.

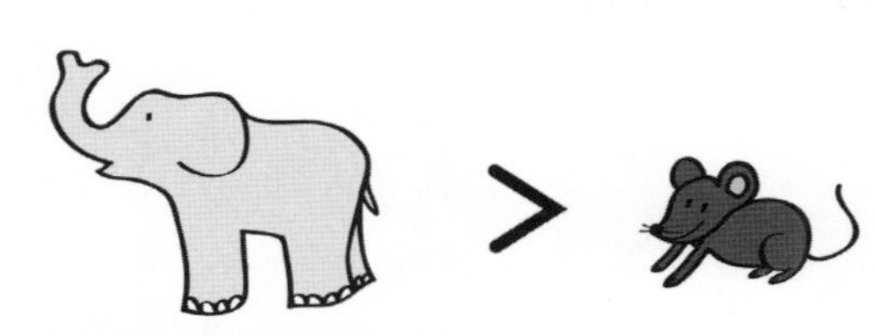

The elephant is bigger than the mouse. 코끼리는 쥐보다 크다.

My grandfather is older than my grandmother.
나의 할아버지는 할머니보다 나이가 많다.

English is more interesting than math.
영어는 수학보다 흥미롭다.

연습문제

문제를 풀고 녹음 파일을 따라 읽고 연습하세요. MP3 3권 본문 UNIT 14
정답 및 해석 p. 111

Step 1 단어를 비교급 형태로 만드세요.

01	nice	⇨ nicer	02	busy	⇨ ________
03	young	⇨ ________	04	bad	⇨ ________
05	big	⇨ ________	06	short	⇨ ________
07	difficult	⇨ ________	08	strong	⇨ ________
09	happy	⇨ ________	10	important (중요한)	⇨ ________
11	expensive	⇨ ________	12	hard	⇨ ________
13	rich	⇨ ________	14	dangerous (위험한)	⇨ ________
15	good	⇨ ________	16	late	⇨ ________

17	soon 곧, 머지않아	⇨ ______	18	fast	⇨ ______
19	near 근처의	⇨ ______	20	popular 인기 있는	⇨ ______
21	excited	⇨ ______	22	heavy	⇨ ______
23	interesting 흥미로운	⇨ ______	24	pretty	⇨ ______

Step 2 밑줄 친 부분을 바르게 고쳐 쓰세요.

01 The elephant is biger than the mouse. ⇨ bigger

02 Tom is stronger Bora. ⇨ ______

03 Insu is taller Jason. ⇨ ______

04 She is famous than her sister. ⇨ ______

05 My mother is young than my father. ⇨ ______

06 Baseball is exciting than basketball. ⇨ ______
흥미진진한

07 He is more smart his brother. ⇨ ______

08 She is beautiful than her sister. ⇨ ______

09 Today is hoter than yesterday. ⇨ ______

10 The tiger is fast than the dog. ⇨ ______

11 My voice is more loud than yours. ⇨ ______
목소리

12 This house is more cleaner than that house. ⇨ ______

13 Jessica is older Minsu. ⇨ ______

14 The shirt is expensive than the pants. ⇨ ______

15 Math is more harder English. ⇨ ______

Step 3 괄호 안의 단어를 활용하여 비교급 문장을 만드세요. (단, 긍정문으로만 쓰세요.)

01 Minji is ___younger than___ me. (young)

02 This movie is ______________ that movie. (interesting)

03 Our school is ______________ yours. (big)

04 I run ______________ you. (fast)

05 This building is ______________ the tree. (high)

06 Seoul is ______________ Busan. (cold)

07 She is ______________ her mother. (beautiful)

08 This box is ______________ the chair. (heavy)

09 Acting(행동) is ______________ saying(말). (difficult)

10 Andy is ______________ Jane. (small)

UNIT 14

중학교 내신 시험에 꼭 나오는 문법 요점 정리 | 비교급 문장

● **비교급 문장**

둘 또는 그 이상의 사물을 비교할 때 비교급을 쓴다.

● **비교급 만드는 방법**

· 형용사 · 부사의 기본형 + -er (단, 형용사 · 부사의 기본형이 -e로 끝날 경우 -r만 붙입니다.)

short	(①)	strong	stronger
nice	nicer	weak	(②)

· 형용사 · 부사의 기본형이 「자음 + y」로 끝나면 y를 i로 고치고 + -er

easy	easier	heavy	(③)
pretty	(④)	happy	happier

· 형용사 · 부사의 기본형이 3음절 이상인 단어는 (⑤) + 형용사 · 부사의 기본형

beautiful	more beautiful	difficult	(⑥)
interesting	(⑦)	excited	more excited

· 형용사 · 부사의 기본형이 「단모음 + 단자음」으로 끝나는 경우, 자음 한 번 더 쓰고 + -er

big	bigger	hot	(⑧)

비교급에 반드시 있어야 하는 단어는 '~보다'라는 뜻의 (⑨)!

① shorter ② weaker ③ heavier ④ prettier ⑤ more ⑥ more difficult ⑦ more interesting ⑧ hotter ⑨ than

UNIT 15

최상급 문장

공부한 날 : 복습한 날 : 부모님 확인 :

우리 누가 가장 큰지 키 재 보자!!!

Tom is the tallest of them.

그림에서처럼 최상급은 비교 대상이 되는 것들 중 성질이나 상태의 정도가 '가장 ~한 것'을 표현해요.

이런 최상급을 만드는 방법도 크게 네 가지입니다.

하나, **the 형용사 · 부사의 기본형 + -est** (단, 형용사 · 부사의 기본형이 -e로 끝날 경우 -st만 붙입니다.)

- **the** larg**est** 가장 큰
- **the** small**est** 가장 작은
- **the** nic**est** 가장 좋은
- **the** tall**est** 가장 키 큰
- **the** short**est** 가장 짧은
- **the** strong**est** 가장 강한
- **the** weak**est** 가장 약한
- **the** long**est** 가장 긴

※ 앞에서 배운 good과 bad는 비교급과 마찬가지로 최상급도 불규칙적으로 변합니다.
good → the best bad → the worst

둘, **the** 형용사 · 부사의 기본형이 「자음 + y」로 끝나면 **y를 i로 고치고 + -est**

- **the** eas**iest** 가장 쉬운
- **the** bus**iest** 가장 바쁜
- **the** prett**iest** 가장 예쁜
- **the** funn**iest** 가장 재미있는
- **the** happ**iest** 가장 행복한
- **the** heav**iest** 가장 무거운

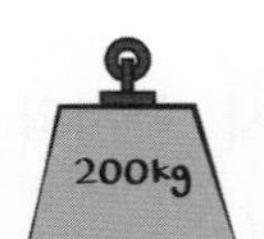

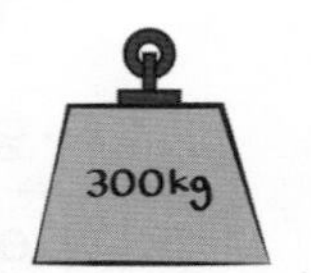

heavy heavier the heaviest

셋, 형용사 · 부사의 기본형이 3음절 이상인 단어는 **the most + 형용사 · 부사의 기본형**

- **the most** beautiful 가장 아름다운
- **the most** difficult 가장 어려운
- **the most** popular 가장 인기 있는
- **the most** expensive 가장 비싼
- **the most** dangerous 가장 위험한
- **the most** interesting 가장 흥미로운

popular more popular the most popular

넷, **the** 형용사 · 부사의 기본형이 「단모음 + 단자음」으로 끝나면 **마지막 자음 한 번 더 쓰고 + -est**

- **the** bi**ggest** 가장 큰
- **the** ho**ttest** 가장 더운
- **the** fa**ttest** 가장 뚱뚱한

잠깐! 최상급 앞에는 반드시 the가 붙어야 한다는 것, 절대 잊지 마세요.
그림과 예문을 통해 다시 한번 확인해 보아요.

The lion is the biggest of them.
사자가 그들 중에서 가장 크다.

The cheetah is the fastest of them.
치타가 그들 중에서 가장 빠르다.

My mother is the most beautiful in the world.
나의 어머니가 세상에서 가장 아름답다.

연습문제

문제를 풀고 녹음 파일을 따라 읽고 연습하세요. MP3 3권 본문 UNIT 15
정답 및 해석 p. 112

Step 1 단어를 최상급 형태로 만드세요.

01	nice	⇨ the nicest	**02**	easy	⇨ ______
03	fast	⇨ ______	**04**	bad	⇨ ______
05	big	⇨ ______	**06**	long	⇨ ______
07	dangerous	⇨ ______	**08**	strong	⇨ ______
09	happy	⇨ ______	**10**	popular	⇨ ______
11	large	⇨ ______	**12**	soft	⇨ ______
13	funny	⇨ ______	**14**	exciting	⇨ ______
15	smart	⇨ ______	**16**	early	⇨ ______
17	curious (궁금한)	⇨ ______	**18**	good	⇨ ______

Step 2 다음 최상급 문장에서 밑줄 친 부분을 바르게 고쳐 쓰세요.

01 The cheetah is fastest animal. ⇨ the fastest

02 Tom is the taller in his class. ⇨ ________

03 This car is the goodest in the store. ⇨ ________

04 The blue whale is the big animal in the world. ⇨ ________
whale: 고래

05 I am smartest boy in our club. ⇨ ________
club: 동아리, 클럽

06 She is most popular singer in Korea. ⇨ ________

07 Soccer is the more interesting sport. ⇨ ________

08 He is the most funnyest in our school. ⇨ ________

09 He is greatest president among them. ⇨ ________
president: 대통령, 사장 / among: ~ 사이에

10 Sally is the shorter of them. ⇨ ________

11 My bag is the heavyest bag among them. ⇨ ________

12 She spent the most bad vacation because of weather. ⇨ ________
spent: spend (시간을) 보내다 / because of: ~ 때문에

13 Today is hottest day in this summer. ⇨ ________

14 He is the most fast runner in the world. ⇨ ________
runner: 주자, 달리는 사람

15 Mt. Baekdu is the most high mountain in Korea. ⇨ ________
mountain: 산

16 She is most beautiful actress. ⇨ ________

17 My father is the rich in our family. ⇨ ________

18 Math is the difficultest subject for me. ⇨ ________
subject: 과목

19 I like English the better. ⇨ ________

Step 3 괄호 안의 주어진 단어를 이용해서 최상급 문장을 완성하세요.

01 This is the nicest restaurant in Seoul. (nice)
식당

02 Joseph is ______________ student in my class. (smart)

03 I am ______________ in my family. (young)

04 This street is ______________ in my neighborhood. (bright)
이웃, 동네 밝은

05 I saw ______________ picture today. (interesting)

06 Jane is ______________ girl in my class. (kind)

07 It is ______________ day of my life. (long)

08 My mother bought me ______________ clothes in the store. (expensive)

09 He is ______________ teacher in our school. (good)

10 This is ______________ movie in my life. (bad)

UNIT 15

중학교 내신 시험에 꼭 나오는 문법 요점 정리 | 최상급 문장

● 최상급을 만드는 방법

·the 형용사 · 부사의 기본형 + -est(단, 형용사 · 부사의 기본형이 -e로 끝날 경우 -st만 붙입니다.)

strong	the strongest	weak	(①)
short	(②)	large	the largest
small	the smallest	long	the longest

·the 형용사 · 부사의 기본형이 「자음 + y」로 끝나면 y를 i로 고치고 + -est

easy	(③)	heavy	(④)
pretty	the prettiest	happy	the happiest

·형용사 · 부사의 기본형이 3음절 이상인 단어는 (⑤) + 형용사 · 부사의 기본형

beautiful	the most beautiful	difficult	(⑥)
dangerous	the most dangerous	interesting	the most interesting

·the 「단모음 + 단자음」으로 끝나면 마지막 자음 한 번 더 쓰고 + -est

big	the biggest	hot	(⑦)

최상급 앞에는 반드시 (⑧)가 있어야 한다.

① the weakest ② the shortest ③ the easiest ④ the heaviest ⑤ the most ⑥ the most difficult ⑦ the hottest ⑧ the

정답 및 해석은 112쪽에서 확인하세요!!

UNIT 11~15

진단평가 및 교내평가 대비 실전테스트

공부한 날 :　　　복습한 날 :　　　부모님 확인 :

UNIT 11 형용사의 쓰임 UNIT 12 2형식 문장과 감각동사 UNIT 13 꾸며 주기 좋아하는 부사 UNIT 14 비교급 문장 UNIT 15 최상급 문장

01

다음 [보기]의 대문자를 소문자로 알맞게 바꾼 것을 고르세요.

[보기] QUIET

① quiet　② guiet
③ qulet　④ guiat

02

다음 표의 빈칸에 [보기]의 단어를 알맞게 분류해서 쓰세요.

[보기] safely, lovely, never, good, red

형용사	부사

03

다음 그림을 참고하여, 우리말 해석과 같도록 빈칸에 주어진 글자로 시작하는 단어를 쓰세요.

The cake tastes l________ a candy.
(그 케이크는 사탕 같은 맛이 나.)

04

다음 그림과 단어가 바르게 짝지어지지 않은 것을 고르세요.

① sunny　② rainy
③ hot　④ windy

05

다음 빈칸에 들어갈 알파벳으로 알맞은 것을 고르세요.

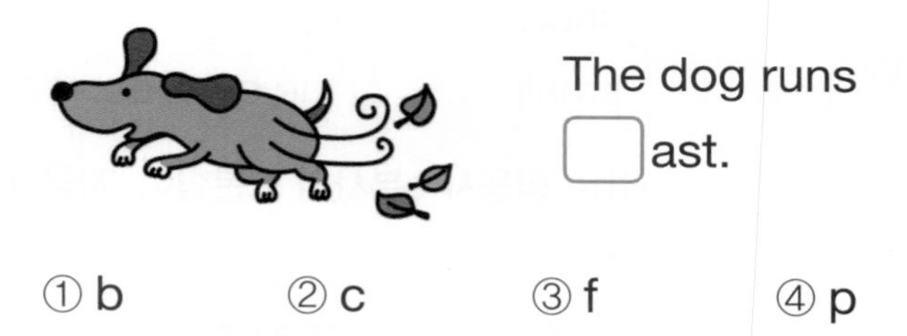

The dog runs
☐ast.

① b　② c　③ f　④ p

06

다음 중 2형식 문장인 것을 두 개 고르세요.

① She came here.
② Jane is a nurse.
③ She loves him.
④ He looks happy.

07

다음 빈칸에 들어가기에 가장 적절한 단어를 고르세요.

A: Let's play soccer this afternoon.
B: That ________ good.

① feels ② tastes
③ smells ④ sounds

08

다음 그림을 보고, 괄호 안의 단어를 사용하여 비교급 문장이 되도록 알맞은 말을 쓰세요.

Tom is ________ ________ Sam. (tall)

[09~10] 다음 빈칸에 들어갈 알맞은 말을 쓰세요.

09

A: This steak tastes great.
B: You're right. This is the ________ delicious steak here.

10

A: Look! There are a cat, a lion, and an elephant.
B: Wow! They are different sizes.
A: The elephant is ________ biggest of them.

[11~12] 다음 글자들을 배열하여 우리말과 같은 뜻의 단어를 만들 때, 필요 없는 알파벳을 빈칸에 쓰세요.

11

C O U D
L Y T

구름이 낀

(   )

12

A S W E
A L Y

항상

(   )

[13~15] 다음 그림에 맞는 단어가 되도록 빈칸에 알맞은 글자를 쓰세요.

13

a n ☐ ☐ i l y

14

s ☐ o ☐ l y

UNIT 11~15 실전테스트

15

s ☐ a r ☐

[16~17] 다음 그림을 참고하여 빈칸에 알맞은 말을 [보기]에서 골라 쓰세요.

[보기] sometimes, never, nothing, anything

16

I __________ write to my mom.
(나는 때때로 엄마에게 편지를 쓴다.)

17

There is __________ on the table.
(탁자 위에 아무 것도 없다.)

18

다음 중 형용사와 부사의 형태가 같은 단어를 고르세요.

① friendly ② lately
③ early ④ lively

19

다음 그림에 맞도록 빈칸에 들어갈 말을 쓰세요.

A: Look! They're running a race.

B: Wow! Tom is the __________ of them.

20

다음 그림을 보고, 빈칸에 알맞은 단어를 고르세요.

A: Look at the beautiful girl! Do you know her?
B: Yes, I do. She is the __________ beautiful girl in our class.

① than ② most ③ more ④ of

[21~25] 다음 단어를 소문자는 대문자로, 대문자는 소문자로 바꿔 쓴 뒤, 괄호 안에 그 뜻을 쓰세요.

21 FAMOUS

⇨ ☐☐☐☐☐☐ (　　　)

22 become

⇨ ☐☐☐☐☐☐ (　　　)

23 USUALLY

⇨ ☐☐☐☐☐☐☐ (　　　)

24 sour

⇨ ☐☐☐☐ (　　　)

25 OFTEN

⇨ ☐☐☐☐☐ (　　　)

26

다음 그림에 맞게 빈칸에 알맞은 말을 [보기]에서 골라 쓰세요.

$30 $15

[보기] than, more, the, most

A: Look at those shoes! I like those sneakers.

B: I like them, too. But the sneakers are ________ expensive ________ the sandals.

[27~28] 다음 문장을 바르게 고쳐 다시 쓰세요. (단, happy, in our class는 바꾸지 마세요.)

27

I always am happy.

28

He is the funnyiest in our class.

[29~30] 다음 단어들을 순서에 맞게 배열하여 문장을 완성하세요.

29

(it / didn't / He / anything / know / about).

⇨ ________________________

30

(runs / in / the park / sometimes / She).

⇨ ________________________

UNIT 01~15 총괄평가 1회

공부한 날 : 복습한 날 : 부모님 확인 :

01

다음 명사의 단수와 복수 형태가 올바른 것을 고르세요.

	단수	복수
①	tooth	toothes
②	child	childes
③	man	men
④	baby	babys

02

다음 표의 빈칸에 [보기]의 단어를 알맞게 분류해서 쓰세요.

[보기] water, box, Korea, happiness, cup, book

셀 수 있는 명사	셀 수 없는 명사

03

다음 명사 중 고유명사에는 '고', 물질명사에는 '물', 추상명사에는 '추'라고 적으세요.

① Mexico ( )
② Jessica ( )
③ milk ( )
④ honesty ( )

04

다음 표의 빈칸에 알맞은 단어를 쓰세요.

주격	소유격	목적격
I		
		you
she	her	

05

우리말 해석과 같도록 빈칸에 알맞은 단어를 쓰세요.

__________ are my notes.
(저것들은 나의 메모이다.)

[06-08]

다음 문장에서 괄호 안의 품사 역할을 하는 단어에 ○표 하세요.

06

Wow! What a nice bag! (감탄사)

07

Eunjung speaks Chinese well. (부사)

정답 및 해석은 112쪽에서 확인하세요!!

08

It was in the closet. (대명사)

[09-10]

다음 문장에서 주부, 술부 중 부족한 것에 ○표 하고 빈칸에 알맞은 단어를 쓰세요.

09

He __________ very smart. (주부, 술부)

(그는 매우 똑똑하다.)

10

Her __________ likes this board game. (주부, 술부)

(그녀의 오빠는 이 보드게임을 좋아한다.)

[11-15]

다음 문장을 괄호 안의 문장 종류로 바꾸세요.

11

You open the door. (명령문)

→ ______________________________

12

Tom was the best student in our class. (의문문)

→ ______________________________

13

Try this sweet potato. (청유문)

→ ______________________________

14

That is your problem. (부정문)

→ ______________________________

15

Sam didn't go to the stadium. (긍정문)

→ ______________________________

16

다음 문장을 과거형으로 바꾸세요.

I want to buy some cookies.

→ ______________________________

[17-20]

다음 문장의 밑줄 친 부분을 고쳐 문장을 다시 쓰세요.

17

Maria <u>buyed</u> a new umbrella.

→ ______________________________

18

I <u>finded</u> an old watch in the drawer.

→ ______________________________

19

She <u>maked</u> a sandwich.

→ ______________________________

20

Kate <u>readed</u> the bible last week.

→ ______________________________

[21-23]

괄호 안의 단어를 사용하여 우리말 해석과 같도록 빈칸에 알맞은 말을 쓰세요.

21

He is ________ a bike. (ride)
(그는 자전거를 타고 있는 중이다.)

22

The cat is ________. (yawn)
(그 고양이는 하품을 하고 있다.)

23

I ________ ________ my car. (drive)
(나는 내 차를 운전하고 있다.)

[24-30]

다음 그림을 보고, 단어들을 순서에 맞게 배열하여 문장을 완성하세요.

24

→ She ________________________.
(reading, is, book, a)

25

→ He ________________________.
(playing, his friends, with, is, soccer)

26

→ They ________________________.
(the house, cleaning, are)

27

→ We ________________ next week.
(go, will, camping)

28

→ She ________________________.
(a new job, find, is going to)

29

→ They ______________________ together. (math, studying, were)

30

→ Clark ______________________.
(tomorrow, see, a movie, will)

[31-33]

다음 단어들을 순서에 맞게 배열하여 문장을 완성하세요.

31

(you / something / Do / want / sweet)?

→ ______________________

32

(a dream / like / It / feels).

→ ______________________

33

(always / My father / at 7:30 / arrives).

→ ______________________

[34-35]

다음 빈칸에 들어갈 알맞은 단어를 고르세요.

34

She looks ____________.

① beautifully ② lovely
③ angrily ④ sadly

35

It tastes like ____________.

① sour ② heavy
③ hot ④ an apple

36

다음 형용사와 부사의 형태가 올바른 것을 고르세요.

	형용사	부사
①	fast	fastly
②	happy	happily
③	kind	kind
④	friend	friendly

[37-38]

괄호 안의 단어들을 사용하여 우리말 해석과 같도록 비교급 문장을 쓰세요.

37

Tom은 Jack보다 키가 크다. (tall)

→ ______________________

38

영어 시험은 수학 시험보다 쉬웠다.
(exam/ easy)

→ ______________________

[39-40]

괄호 안의 단어들을 사용하여 우리말 해석과 같도록 최상급 문장을 쓰세요.

39

Tom은 가장 똑똑한 학생이다.
(Tom / smart / student)

→ ______________________

40

이 책은 세상에서 가장 비싸다.
(This book / expensive / in the world)

→ ______________________

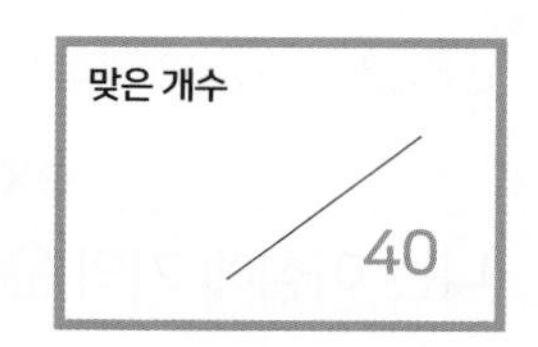

UNIT 01~15 총괄평가 2회

공부한 날 : 복습한 날 : 부모님 확인 :

01

다음 중 명사의 단수와 복수 형태가 올바른 것을 고르세요.

	단수	복수
①	leaf	leaves
②	box	boxs
③	deer	deers
④	glass	glasies

02

다음 표의 빈칸에 [보기]의 단어를 알맞게 분류해서 쓰세요.

[보기] Seoul, peace, car, spoon, juice

셀 수 있는 명사	셀 수 없는 명사

[03-04]

다음 우리말 해석과 같도록 빈칸에 알맞은 말을 [보기]에서 골라 쓰세요.

[보기] never, rarely, anything, nothing

03

I ___________ exercise in the morning.
(나는 아침에 거의 운동을 하지 않는다.)

04

She did ___________ last weekend.
(그녀는 지난 주말에 아무것도 하지 않았다.)

[05-08]

다음 문장에서 괄호 안의 품사에 해당하는 단어에 ○표 하세요.

05

They ran so fast. (부사)

06

That was amazing! (대명사)

07

It is in the bathroom. (전치사)

08

She looks so lovely. (형용사)

[09-10]

문장의 주부와 술부 중 부족한 것에 ○표 하고 빈칸에 알맞은 단어를 쓰세요.

09

Her ________ is very clever. (주부, 술부)

(그녀의 아들은 매우 영리하다.)

10

Mike bought a ________ cell phone.

(주부, 술부)

(Mike는 새 휴대전화를 샀다.)

[11-15]

다음 중 조건에 맞는 문장을 고르세요.

11

의문문 (　　　)

① This is expensive.
② Is that expensive?
③ That was not expensive.

12

평서문 (　　　)

① Let's take a picture of the cute dog.
② What a cute dog!
③ That dog is cute.

13

명령문 (　　　)

① Close your eyes.
② Let's close our eyes.
③ Did you close your eyes?

14

부정문 (　　　)

① He didn't open it.
② Open it.
③ May I open it?

15

청유문 (　　　)

① Don't try it.
② Try it again.
③ Let's try this one.

16

다음 문장을 부정형 문장으로 고쳐 쓰세요.

He will find the error.

→ ______________________________

[17-20]

다음 문장의 밑줄 친 부분을 고쳐 문장을 다시 쓰세요.

17

She saw <u>interesting something</u>.

→ ______________________________

18

I didn't <u>thought</u> about it.

→ ______________________________

19

She <u>getted</u> the ticket last night.

→ ______________________________

20

I <u>goed</u> fishing last week.

→ ______________________________

[21-23]

괄호 안의 단어를 사용하여 우리말 해석과 같도록 빈칸에 알맞은 말을 쓰세요.

21

The baby is ________ now. (sleep)
(그 아기는 지금 잠을 자고 있다.)

22

He is ________ his hands. (wash)
(그는 손을 닦고 있다.)

23

She is ________ a poem. (read)
(그녀는 시를 읽고 있다.)

[24-25]

다음 그림을 참고하여, 우리말 해석과 같도록 빈칸에 알맞은 말을 쓰세요.

24

I _________ _________ TV.
(나는 TV를 보고 있던 중이었다.)

25

They _________ _________ together.
(그들은 함께 공부하던 중이었다.)

[26-28]

다음 그림에 알맞은 단어를 [보기]에서 골라 쓰세요.

[보기]	bored, hungry, thirsty, sad, happy

26

____

27

____

28

____

[29-30]

다음 그림에 알맞은 문장을 고르세요.

29

① The dog is in the box.
② The dog is on the box.
③ The dog is behind the box.
④ The dog is beside the box.

30

① The glasses are on the table.
② The glasses are under the table.
③ The glasses are behind the table.
④ The glasses are between the tables.

[31-32]

단어들을 순서에 맞게 배열하여 문장을 완성하세요.

31

(play / Let's / after / football / school).

→ ________________________________

32

(was / There / special / nothing).

→ ________________________________

[33-35]

다음 빈칸에 들어갈 알맞은 단어를 고르세요.

33

It smells __________ a roasted beef.

① get	② like
③ become	④ if

34

Jane __________ very confused.

① get	② turn
③ became	④ as

35

__________ take photos in the museum.

① Doesn't	② Don't
③ Be	④ If

36

다음 형용사와 부사의 형태가 올바른 것을 고르세요.

	형용사	부사
①	heavy	heavy
②	angry	angrily
③	safe	safety
④	beautiful	beautifuly

[37-38]

괄호 안의 단어들을 사용하여 우리말 해석과 같도록 비교급 문장을 쓰세요.

37

영어는 한국어보다 어렵다.
(English / difficult / Korean)

→ ______________________________

38

그녀는 Sam보다 키가 크다.
(She / tall / Sam)

→ ______________________________

[39-40]

괄호 안의 단어들을 사용하여 우리말 해석과 같도록 최상급 문장을 쓰세요.

39

부처는 인도 역사에서 가장 현명한 사람이다.
(Buddha / wise / person / in Indian history)

→ ______________________________

____

40

그는 한국에서 가장 유명한 가수이다.
(famous / singer / in Korea)

→ ______________________________

____

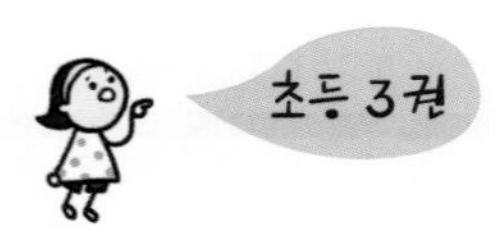

UNIT 01

MP3 3권 단어 UNIT 01

학습한 날 :

단어 연습장 공부법 1단계 | 들려주는 단어를 잘 듣고, 옆의 빈칸에 세 번씩 써 보세요.

Step 1

01	**spoon** [spu:n]	숟가락
02	**beauty** [bjú:ti]	아름다움, 미
03	**honesty** [ɑ́nisti]	정직
04	**peace** [pi:s]	평화
05	**America** [əmérikə]	미국
06	**bottle** [bɑ́tl]	(유리)병
07	**clock** [klɑk]	시계

spoon

Step 2

08	**city** [síti]	도시
09	**dish** [diʃ]	접시, 음식
10	**lady** [léidi]	숙녀

Step 3

11	**strawberry** [strɔ́:bèri]	딸기
12	**deer** [diər]	사슴
13	**sheep** [ʃi:p]	양

Step 4

14 **movie** 영화
[múːvi]

15 **air** 공기, 대기
[ɛər]

16 **light** 빛
[lait]

17 **speaker** 화자, 연설가
[spíːkər]

18 **stick** 막대기
[stik]

단어 연습장 공부법 2단계 | 진단평가, 수행평가 대비에 꼭 필요한 단어 복습 빈칸 넣기 문제입니다.

01	___po___n	숟가락	07	___lo___k	시계	13	___he___p	양
02	___ea___ty	아름다움, 미	08	___it___	도시	14	___ov___e	영화
03	___on___sty	정직	09	___is___	접시, 음식	15	___i___	공기, 대기
04	p___a___e	평화	10	l___d___	숙녀	16	___ig___t	빛
05	A___eri___a	미국	11	s___raw___erry	딸기	17	___pea___er	화자, 연설가
06	b___tt___e	(유리)병	12	___e___r	사슴	18	___ti___k	막대기

단어 연습장 공부법 3단계 | 단어를 다시 들으면서 큰 소리로 따라 읽어보세요.

UNIT 02

MP3 3권 단어 UNIT 02

학습한 날 :

초777_3_w2

단어 연습장 공부법 1단계 | 들려주는 단어를 잘 듣고, 옆의 빈칸에 세 번씩 써 보세요.

Step 1

01 **honest** 정직한
[ánist]

honest

02 **call** ~을 …라고 부르다
[kɔːl]

03 **take** ~을 데려가다
[teik]

04 **zoo** 동물원
[zu:]

05 **remember** 기억하다
[rimémbər]

Step 2

06 **forget** 잊어버리다
[fərgét]

단어 연습장 공부법 2단계 | 진단평가, 수행평가 대비에 꼭 필요한 단어 복습 빈칸 넣기 문제입니다.

01	h___ne___t	정직한	03	t___ke	~을 데려가다	05	re___em___er	기억하다
02	c___ll	~을 …라고 부르다	04	zo___	동물원	06	___or___et	잊어버리다

단어 연습장 공부법 3단계 | 단어를 다시 들으면서 큰 소리로 따라 읽어보세요.

UNIT 03

MP3 3권 단어 UNIT 03

학습한 날 :

초777_3_w3

단어 연습장 공부법 1단계 | 들려주는 단어를 잘 듣고, 옆의 빈칸에 세 번씩 써 보세요.

Step 1

01 **speak** 말하다
[spi:k]

speak

02 **taste** 맛보다
[teist]

03 **Chinese** 중국어
[tʃàiní:z]

Step 3

04 **turtle** 거북이
[tə́:rtl]

05 **get up** 일어나다
[get ʌp]

06 **wear** (옷을) 입다
[wɛər]

07 **delicious** [dilíʃəs] 맛있는

08 **very** [véri] 매우

09 **hard** [hɑːrd] 열심히

10 **perfect** [pə́ːrfikt] 완벽한

11 **painting** [péintiŋ] 그림

12 **well** [wel] 잘

Step 4

13 **bank** [bæŋk] 은행

14 **park** [pɑːrk] 공원

15 **train** [trein] 기차

16 **miss** [mis] 놓치다

단어 연습장 공부법 2단계 | 진단평가, 수행평가 대비에 꼭 필요한 단어 복습 빈칸 넣기 문제입니다.

01	___pe___k	말하다	07	___elici___us	맛있는	13	___an___	은행
02	___as___e	맛보다	08	___er___	매우	14	___a___k	공원
03	___hin___se	중국어	09	___ar___	열심히	15	___ra___n	기차
04	___urt___e	거북이	10	___er___ect	완벽한	16	___is___	놓치다
05	___et u___	일어나다	11	___ain___ing	그림			
06	___ea___	(옷을) 입다	12	___el___	잘			

단어 연습장 공부법 3단계 | 단어를 다시 들으면서 큰 소리로 따라 읽어보세요.

학습한 날 :

단어 연습장 공부법 1단계 | 들려주는 단어를 잘 듣고, 옆의 빈칸에 세 번씩 써 보세요.

Step 1

01	**stage**	[steidʒ]	무대
02	**take a picture**	[teik ə píktʃər]	사진을 찍다
03	**enjoy**	[indʒɔ́i]	즐기다
04	**burn**	[bəːrn]	(햇볕에) 타다
05	**excited**	[iksáitid]	신이 난
06	**dream**	[driːm]	꿈
07	**around**	[əráund]	사방에
08	**favorite**	[féivərit]	가장 좋아하는

stage

Step 2

09	**vegetable**	[védʒitəbl]	채소
10	**meat**	[miːt]	고기
11	**present**	[prézənt]	선물
12	**get a prize**	[get ə praiz]	상을 받다
13	**follow**	[fálou]	따라가다
14	**turn off**	[təːrn ɔːf]	~을 끄다

15 **message** [mésidʒ] 메시지

Step 3

16 **scientist** [sáiəntist] 과학자

17 **guest** [gest] 손님

18 **classmate** [klǽsmèit] 급우, 반 친구

19 **become** [bikʌ́m] ~이 되다

20 **subway station** [sʌ́bwèi stéiʃən] 지하철역

21 **every day** [évri dei] 매일

단어 연습장 공부법 2단계 | 진단평가, 수행평가 대비에 꼭 필요한 단어 복습 빈칸 넣기 문제입니다.

01	___ta___e	무대	08	___avo___ite	가장 좋아하는	15	___ess___ge	메시지
02	___ake a pi___ture	사진을 찍다	09	___egeta___le	채소	16	___cient___st	과학자
03	___nj___y	즐기다	10	___e___t	고기	17	___ue___t	손님
04	___u___n	(햇볕에) 타다	11	___res___nt	선물	18	___lass___ate	급우, 반 친구
05	___xci___ed	신이 난	12	___et a p___ize	상을 받다	19	___eco___e	~이 되다
06	___re___m	꿈	13	f___ll___w	따라가다	20	___ubway ___tation	지하철역
07	___rou___d	사방에	14	t___rn off	~을 끄다	21	___very d___y	매일

단어 연습장 공부법 3단계 | 단어를 다시 들으면서 큰 소리로 따라 읽어보세요.

UNIT 05

MP3 3권 단어 UNIT 05

학습한 날 :

초777_3_w5

단어 연습장 공부법 1단계 | 들려주는 단어를 잘 듣고, 옆의 빈칸에 세 번씩 써 보세요.

Step 1

01 **engineer** [èndʒəníər] 엔지니어, 기사

engineer

02 **music** [mjú:zik] 음악

03 **after school** [ǽftər sku:l] 방과 후(에)

04 **rule** [ru:l] 규칙

05 **library** [láibrèri] 도서관

06 **there** [ðεər] 거기에, 그곳에

07 **leave** [li:v] 떠나다

Step 2

08 **draw** [drɔ:] ~을 그리다

09 **take a shower** [teik ə ʃáuər] 샤워하다

10 **go fishing** [gou fíʃiŋ] 낚시하러 가다

11 **pet** [pet] 애완동물

단어 연습장 공부법 2단계 | 진단평가, 수행평가 대비에 꼭 필요한 단어 복습 빈칸 넣기 문제입니다.

01 ___ngin___er 엔지니어, 기사
02 ___us___c 음악
03 ___fter sc___ool 방과 후(에)
04 ru___e 규칙
05 li___ra___y 도서관
06 t___e___e 거기에, 그곳에
07 l___a___e 떠나다
08 ___ra___ ~을 그리다
09 tak___ a sh___wer 샤워하다
10 g___ fish___ng 낚시하러 가다
11 p___t 애완동물

단어 연습장 공부법 3단계 | 단어를 다시 들으면서 큰 소리로 따라 읽어보세요.

UNIT 06

MP3 3권 단어 UNIT 06

학습한 날 :

단어 연습장 공부법 1단계 | 들려주는 단어를 잘 듣고, 옆의 빈칸에 세 번씩 써 보세요.

Step 1

No.	Word	Pronunciation	Meaning	Practice
01	**late**	[leit]	늦은	late
02	**sleepy**	[slíːpi]	졸린	
03	**lucky**	[lʌ́ki]	운이 좋은	
04	**stay**	[stei]	머무르다	
05	**angry**	[ǽŋgri]	화난	
06	**rich**	[ritʃ]	부유한	
07	**visit**	[vízit]	방문하다	

Step 2

No.	Word	Pronunciation	Meaning	Practice
08	**warm**	[wɔːrm]	따뜻한	
09	**Japanese**	[dʒæ̀pəníːz]	일본인	

Step 3

No.	Word	Pronunciation	Meaning	Practice
10	**office**	[ɔ́(ː)fis]	사무실	
11	**cheap**	[tʃiːp]	저렴한, 싼	
12	**laugh at**	[læf ət]	~을 비웃다	
13	**fair**	[fɛər]	공정한	

Step 4

No.	Word	Pronunciation	Meaning	Practice
14	**wish**	[wiʃ]	바라다	

15 **learn** [ləːrn] 배우다

16 **cover** [kʌ́vər] ~로 덮다

17 **turn** [təːrn] 돌다

18 **finish** [fíniʃ] 끝나다, 끝내다

19 **pass** [pæs] 지나가다

단어 연습장 공부법 2단계 | 진단평가, 수행평가 대비에 꼭 필요한 단어 복습 빈칸 넣기 문제입니다.

01 ___at___ 늦은	08 w___rm 따뜻한	15 le___r___ 배우다
02 ___le___py 졸린	09 Jap___ne___e 일본인	16 co___e___ ~로 덮다
03 l___c___y 운이 좋은	10 o___fi___e 사무실	17 t___r___ 돌다
04 s___a___ 머무르다	11 c___e___p 저렴한, 싼	18 fi___is___ 끝나다, 끝내다
05 a___gr___ 화난	12 l___ugh ___t ~을 비웃다	19 p___s___ 지나가다
06 r___c___ 부유한	13 f___ir 공정한	
07 v___si___ 방문하다	14 wi___h 바라다	

단어 연습장 공부법 3단계 | 단어를 다시 들으면서 큰 소리로 따라 읽어보세요.

UNIT 07

MP3 3권 단어 UNIT 07 학습한 날 :

초777_3_w7

단어 연습장 공부법 1단계 | 들려주는 단어를 잘 듣고, 옆의 빈칸에 세 번씩 써 보세요.

Step 1

01 **find** [faind] ~을 찾다 find

02 **thief** [θiːf] 도둑

	03 **lose** [luːz]	잃어버리다	
	04 **backpack** [bǽkpæ̀k]	책가방	
	05 **summer vacation** [sʌ́mər veikéiʃən]	여름 방학	
Step 2	06 **sit** [sit]	앉다	
	07 **make** [meik]	~을 …하게 만들다	
	08 **over** [ouvər]	~ 위로	
Step 3	09 **go to bed** [gou tuː bed]	잠자리에 들다	
	10 **toy** [tɔi]	장난감	
Step 4	11 **much** [mʌtʃ]	많은	
	12 **French** [frentʃ]	프랑스의, 프랑스어의	

단어 듣고 따라 쓰기 연습

단어 연습장 공부법 2단계 | 진단평가, 수행평가 대비에 꼭 필요한 단어 복습 빈칸 넣기 문제입니다.

01 fi___d ~을 찾다
02 thi___f 도둑
03 lo___e 잃어버리다
04 b___ckp___ck 책가방
05 sum___er vac___tion 여름 방학
06 s___t 앉다
07 m___ke ~을 …하게 만들다
08 o___er ~ 위로
09 go t___ b___d 잠자리에 들다
10 to___ 장난감
11 mu___h 많은
12 Fre___ch 프랑스의, 프랑스어의

단어 연습장 공부법 3단계 | 단어를 다시 들으면서 큰 소리로 따라 읽어보세요.

단어 연습장 공부법 1단계 | 들려주는 단어를 잘 듣고, 옆의 빈칸에 세 번씩 써 보세요.

Step 1

01 **rain** [rein] 비가 내리다 rain

02 **choose** [tʃuːz] 고르다

03 **gloves** [glʌvz] 장갑(복수형)

04 **wake up** [weik ʌp] ~을 깨우다

05 **hold** [hould] 잡고 있다, 들고 있다

06 **sell** [sel] 팔다

07 **blow** [blou] 불다

08 **candle** [kǽndl] 초, 양초

09 **homework** [hóumwə̀ːrk] 숙제

10 **movie star** [múːvi stɑːr] 영화배우

Step 2

11 **poem** [póuəm] 시

12 **bake** [beik] ~을 굽다

13 **newspaper** [njúːzpèipər] 신문

14 **work** [wəːrk] 직장

15 **grow** [grou] 키우다

16 **look for** [luk fər] ~을 찾다

17 **way** [wei] 길

18 **museum** [mjuzíːəm] 박물관

19 **water** [wɔ́ːtər] 물을 주다

20 **island** [áilənd] 섬

21 **catch** [kætʃ] 잡다

22 **build** [bild] 짓다

23 **bridge** [bridʒ] 다리

24 **ask** [æsk] 묻다, 질문하다

Step 3

25 **classical** [klǽsikəl] 고전의

26 **December** [disémbər] 12월

27 **science** [sáiəns] 과학

28 **April** [éiprəl] 4월

29 **plant** [plænt] (나무를) 심다

30 **ride** [raid] (차, 자전거를) 타다

31 **autumn** [ɔ́:təm] 가을

32 **breakfast** [brékfəst] 아침 식사

33 **kitchen** [kítʃən] 부엌

단어 연습장 공부법 2단계 | 진단평가, 수행평가 대비에 꼭 필요한 단어 복습 빈칸 넣기 문제입니다.

No.	단어	뜻
01	r___in	비가 내리다
02	ch___os___	고르다
03	gl___v___s	장갑(복수형)
04	w___ke u___	~을 깨우다
05	hol___	잡고 있다, 들고 있다
06	s___ll	팔다
07	blo___	불다
08	c___n___le	초, 양초
09	ho___ew___rk	숙제
10	m___vie s___ar	영화배우
11	p___em	시
12	ba___e	~을 굽다
13	n___wsp___per	신문
14	w___rk	직장
15	gro___	키우다
16	lo___k for	~을 찾다
17	wa___	길
18	m___se___m	박물관
19	w___t___r	물을 주다
20	i___la___d	섬
21	c___t___h	잡다
22	b___il___	짓다
23	br___dg___	다리
24	as___	묻다, 질문하다
25	clas___ica___	고전의
26	Dec___m___er	12월
27	s___ie___ce	과학
28	A___ril	4월
29	p___a___t	(나무를) 심다
30	ri___e	(차, 자전거를) 타다
31	a___tu___n	가을
32	br___akf___st	아침 식사
33	ki___ch___n	부엌

단어 연습장 공부법 3단계 | 단어를 다시 들으면서 큰 소리로 따라 읽어보세요.

UNIT 09

MP3 3권 단어 UNIT 09

학습한 날 :

단어 연습장 공부법 1단계 | 들려주는 단어를 잘 듣고, 옆의 빈칸에 세 번씩 써 보세요.

Step 1

01	**have dinner**	[hæv dínər]	저녁을 먹다
02	**hate**	[heit]	미워하다
03	**fly**	[flai]	~을 날리다
04	**push**	[puʃ]	밀다
05	**wash the dishes**	[wɑʃ ðə diʃz]	설거지하다

have dinner

Step 2

06	**bark**	[bark]	짖다
07	**carry**	[kǽri]	나르다
08	**magazine**	[mægəzí:n]	잡지
09	**go shopping**	[gou ʃápiŋ]	쇼핑하러 가다
10	**touch**	[tʌtʃ]	만지다
11	**top**	[tɑp]	꼭대기, 맨 위

Step 3

12	**hide**	[haid]	숨기다
13	**pick up**	[pik ʌp]	~을 줍다
14	**check**	[tʃek]	점검하다

15 **chopsticks** [tʃɑ́pstiks] 젓가락

16 **climb up** [klaim ʌp] 위로 올라가다

단어 연습장 공부법 2단계 | 진단평가, 수행평가 대비에 꼭 필요한 단어 복습 빈칸 넣기 문제입니다.

01 h___ve din___er 저녁을 먹다
02 ha___e 미워하다
03 fl___ ~을 날리다
04 pus___ 밀다
05 wa___h the di___hes 설거지하다
06 b___rk 짖다
07 car___y 나르다
08 m___gaz___ne 잡지
09 go sh___ppi___g 쇼핑하러 가다
10 tou___h 만지다
11 to___ 꼭대기, 맨 위
12 hi___e 숨기다
13 p___c___ up ~을 줍다
14 ch___ck 점검하다
15 ch___ps___icks 젓가락
16 cli___b u___ 위로 올라가다

단어 연습장 공부법 3단계 | 단어를 다시 들으면서 큰 소리로 따라 읽어보세요.

UNIT 10

MP3 3권 단어 UNIT 10 학습한 날 :

초777_3_w10

단어 연습장 공부법 1단계 | 들려주는 단어를 잘 듣고, 옆의 빈칸에 세 번씩 써 보세요.

Step 1

01 **in the future** [in ðə fjúːtʃər] 미래에 in the future

02 **ticket** [tíkit] 표

03 **tonight** [tənáit] 오늘밤(에)

Step 2

04 **cartoon** [kɑːrtúːn] 만화

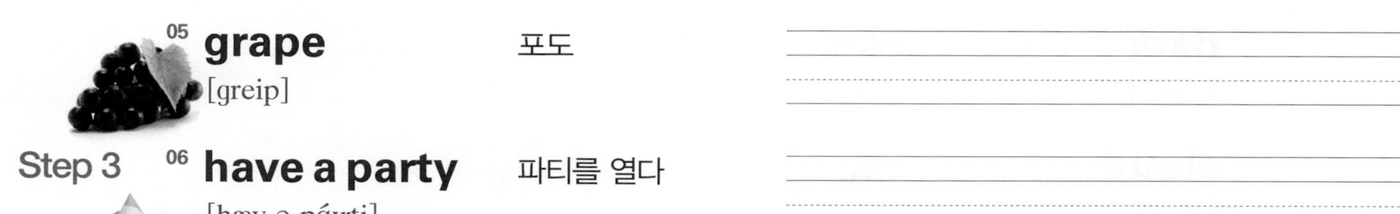

05 **grape** [greip] 포도

Step 3

06 **have a party** [hæv ə pɑ́:rti] 파티를 열다

단어 연습장 공부법 2단계 | 진단평가, 수행평가 대비에 꼭 필요한 단어 복습 빈칸 넣기 문제입니다.

01 in the f___tur___ 미래에	03 t___nig___t 오늘밤(에)	05 g___a___e 포도
02 t___ck___t 표	04 c___rto___n 만화	06 h___ve a p___rty 파티를 열다

단어 연습장 공부법 3단계 | 단어를 다시 들으면서 큰 소리로 따라 읽어보세요.

UNIT 11

MP3 3권 단어 UNIT 11

학습한 날 :

초777_3_w11

단어 연습장 공부법 1단계 | 들려주는 단어를 잘 듣고, 옆의 빈칸에 세 번씩 써 보세요.

Step 1

01 **great** [greit] 멋진, 좋은 great

02 **fantastic** [fæntǽstik] 환상적인

03 **people** [pi:pl] 사람들

04 **wrong** [rɔ(:)ŋ] 잘못된

05 **weather** [wéðər] 날씨

06 **melon** [mélən] 멜론

단어 듣고 따라 쓰기 연습

	07 **dark** [dɑːrk]	어두운	
	08 **cloud** [klaud]	구름	
Step 2	09 **smart** [smɑːrt]	영리한, 똑똑한	
	10 **pink** [piŋk]	분홍의	
	11 **need** [niːd]	필요로 하다	
	12 **windy** [wíndi]	바람이 부는	
Step 3	13 **poor** [puər]	가난한	
	14 **wise** [waiz]	현명한, 지혜로운	
	15 **soft** [sɔ(ː)ft]	부드러운	

단어 연습장 공부법 2단계 | 진단평가, 수행평가 대비에 꼭 필요한 단어 복습 빈칸 넣기 문제입니다.

01	g___ea___	멋진, 좋은	06	m___lo___	멜론	11	n___ ___d	필요로 하다
02	f___nta___tic	환상적인	07	___ar___	어두운	12	w___n___y	바람이 부는
03	___eop___e	사람들	08	c___ou___	구름	13	___oo___	가난한
04	___ro___g	잘못된	09	s___ar___	영리한, 똑똑한	14	___is___	현명한, 지혜로운
05	w___at___er	날씨	10	p___n___	분홍의	15	___o___t	부드러운

단어 연습장 공부법 3단계 | 단어를 다시 들으면서 큰 소리로 따라 읽어보세요.

초777_3_w12

UNIT 12

MP3 3권 단어 UNIT 12

학습한 날 :

단어 연습장 공부법 1단계 | 들려주는 단어를 잘 듣고, 옆의 빈칸에 세 번씩 써 보세요.

Step 1

01 **soap** [soup] 비누 soap

02 **fresh** [freʃ] 신선한

03 **cheese stick** [tʃi:z stik] 치즈스틱

04 **easy** [í:zi] 쉬운

Step 2

05 **tired** [táiərd] 피곤한

06 **amazing** [əméiziŋ] 놀라운

07 **writer** [ráitər] 작가

08 **angel** [éindʒəl] 천사

09 **terrible** [térəbl] 끔찍한, 안 좋은

Step 3

10 **singer** [síŋər] 가수

11 **often** [ɔ́:fn] 자주, 종종

12 **go to the movies** [gou tu: ðə mú:viz] 영화 보러 가다

13 **wonderful** [wʌ́ndərfəl] 근사한, 멋진

단어 연습장 공부법 2단계 | 진단평가, 수행평가 대비에 꼭 필요한 단어 복습 빈칸 넣기 문제입니다.

01 ___oa___ 비누	06 ___ma___ing 놀라운	11 o___t___n 자주, 종종
02 f___e___h 신선한	07 ___ri___er 작가	12 ___o to the m___vies 영화 보러 가다
03 c___eese ___tick 치즈스틱	08 ___n___el 천사	13 w___nder___ul 근사한, 멋진
04 e___s___ 쉬운	09 ___er___ible 끔찍한, 안 좋은	
05 ___ir___d 피곤한	10 ___in___er 가수	

단어 연습장 공부법 3단계 | 단어를 다시 들으면서 큰 소리로 따라 읽어보세요.

UNIT 13

MP3 3권 단어 UNIT 13

학습한 날 :

초777_3_w13

단어 연습장 공부법 1단계 | 들려주는 단어를 잘 듣고, 옆의 빈칸에 세 번씩 써 보세요.

Step 1

01 **carefully** [kɛ́ərfəli] 조심해서, 주의하여 carefully

02 **by car** [bai kɑːr] 자동차로

Step 2

03 **on weekends** [ən wíːkendz] 주말에

04 **answer** [ǽnsər] 대답하다

05 **wisely** [wáizli] 지혜롭게

Step 3

06 **clear** [kliər] 명확한

07 **different** [dífərənt] 다른

08 **silent** [sáilənt] 조용한

09 **careful** [kέərfəl] 조심하는

10 **quiet** [kwáiət] 조용한

11 **quick** [kwik] 빠른, 빨리

Step 4

12 **trust** [trʌst] 믿다, 신뢰하다

단어 연습장 공부법 2단계 | 진단평가, 수행평가 대비에 꼭 필요한 단어 복습 빈칸 넣기 문제입니다.

01	___aref___lly	조심해서, 주의하여
02	___y ___ar	자동차로
03	___n we___kends	주말에
04	___nswe___	대답하다
05	___ise___y	지혜롭게
06	___le___r	명확한
07	___iff___rent	다른
08	___ile___t	조용한
09	___ar___ful	조심하는
10	___uie___	조용한
11	___ui___k	빠른, 빨리
12	___ru___t	믿다, 신뢰하다

단어 연습장 공부법 3단계 | 단어를 다시 들으면서 큰 소리로 따라 읽어보세요.

UNIT 14

MP3 3권 단어 UNIT 14

학습한 날 :

초777_3_w14

단어 연습장 공부법 1단계 | 들려주는 단어를 잘 듣고, 옆의 빈칸에 세 번씩 써 보세요.

Step 1

01 **important** [impɔ́ːrtənt] 중요한

important

02 **dangerous** [déindʒərəs] 위험한

03 **soon** [suːn] 곧, 머지않아

04 **near** [niər] 근처의

05 **popular** [pápjələr] 인기 있는

06 **interesting** [íntərəstiŋ] 흥미로운

Step 2

07 **exciting** [iksáitiŋ] 흥미진진한

08 **voice** [vɔis] 목소리

Step 3

09 **acting** [ǽktiŋ] 행동

10 **saying** [séiiŋ] 말

단어 연습장 공부법 2단계 | 진단평가, 수행평가 대비에 꼭 필요한 단어 복습 빈칸 넣기 문제입니다.

01	___mpor___ant	중요한	05	p___pu___ar	인기 있는	08	___o___ce	목소리
02	___ang___rous	위험한	06	i___tere___ting	흥미로운	09	___c___ing	행동
03	___o___n	곧, 머지않아	07	e___cit___ng	흥미진진한	10	___ay___ng	말
04	___e___r	근처의						

단어 연습장 공부법 3단계 | 단어를 다시 들으면서 큰 소리로 따라 읽어보세요.

UNIT 15

MP3 3권 단어 UNIT 15

학습한 날 :

단어 연습장 공부법 1단계 | 들려주는 단어를 잘 듣고, 옆의 빈칸에 세 번씩 써 보세요.

Step 2

	단어	뜻	쓰기
01	**whale** [*h*weil]	고래	whale
02	**club** [klʌb]	동아리, 클럽	
03	**among** [əmʌ́ŋ]	~ 사이에	
04	**spend** [spend]	(시간을) 보내다	
05	**because of** [bikɔ́(:)z əv]	~ 때문에	
06	**runner** [rʌ́nə*r*]	주자, 달리는 사람	
07	**mountain** [máuntən]	산	
08	**subject** [sʌ́bdʒikt]	과목	

Step 3

	단어	뜻	쓰기
09	**restaurant** [réstərənt]	식당	
10	**bright** [brait]	밝은	

단어 연습장 공부법 2단계 | 진단평가, 수행평가 대비에 꼭 필요한 단어 복습 빈칸 넣기 문제입니다.

01	w___al___	고래	05	___ecau___e of	~ 때문에	09	r___sta___rant	식당
02	c___u___	동아리, 클럽	06	r___n___er	주자, 달리는 사람	10	b___ig___t	밝은
03	___mo___g	~ 사이에	07	m___unt___in	산			
04	s___end	(시간을) 보내다	08	s___bj___ct	과목			

단어 연습장 공부법 3단계 | 단어를 다시 들으면서 큰 소리로 따라 읽어보세요.

정답 및 해석 UNIT 01 ~ UNIT 15

초등 3권

UNIT 01 명사 본문 p.02

Step 1

02 water　03 box　04 child
05 lemon　06 sugar　07 cheese

Step 2

02 dogs　03 cities　04 dishes
05 teeth　06 ladies　07 knives
08 buses　09 mice　10 potatoes
11 children　12 men

Step 3

02 foot　03 strawberry　04 nurse
05 map　06 house　07 leaf
08 dress　09 deer　10 sheep
11 fish　12 wife

Step 4

02 friendship　03 love　04 air
05 light　06 Japan　07 water
08 bread

UNIT 02 명사를 대신하는 대명사 본문 p.06

Step 1

02 She　03 These　04 They
05 my　06 your　07 You
08 mine　09 him　10 yours
11 This　12 their　13 us
14 her　15 its　16 That
17 It　18 Our　19 his
20 theirs

Step 2

02 소　03 목　04 소
05 소　06 소　07 목

UNIT 03 영어의 8품사 본문 p.10

Step 1

02 the piano　03 the soup
04 a book　05 a song

Step 2

02 감탄사　03 형용사　04 부사
05 동사　06 명사　07 동사
08 접속사　09 명사　10 대명사
11 전치사　12 부사

Step 3

02 slowly　03 She, lovely
04 fast　05 We, early
06 He, blue　07 You, delicious
08 He, very, hard　09 This, perfect
10 I, her, well

Step 4

02 under　03 Wow
04 between, and　05 or
06 in　07 so
08 and

UNIT 04 문장의 주부와 술부 본문 p.14

Step 1

02 ×　03 ×　04 ○
05 ○　06 ×　07 ×
08 ○　09 ○　10 ○
11 ×　12 ○　13 ○
14 ○　15 ×　16 ×
17 ○　18 ○　19 ○
20 ×　21 ×　22 ○
23 ×　24 ○

Step 2

02 She/doesn't eat any vegetables.
그녀는 채소를 먹지 않는다.
03 He/eats two bananas. 그는 바나나 두 개를 먹는다.
04 I/get up early. 나는 일찍 일어난다.
05 I/am very happy. 나는 매우 행복하다.
06 Jane/is my friend. Jane은 내 친구다.
07 I/don't like the red color.
나는 빨간색을 좋아하지 않는다.
08 A monkey/doesn't eat meat.
원숭이는 고기를 먹지 않는다.
09 I/have a question. 나는 질문이 있다.
10 Our English teacher/answers my questions.
우리 영어 선생님이 내 질문들에 대답하신다.
11 We/drink water. 우리는 물을 마신다.
12 They/don't like the present.
그들은 그 선물을 좋아하지 않는다.
13 She/moved the chair. 그녀는 그 의자를 옮겼다.
14 I/used my camera. 나는 나의 사진기를 사용했다.
15 She/can't get a prize. 그녀는 상을 받을 수 없다.
16 This pie/tastes like sugar. 이 파이는 설탕 맛이다.
17 Christmas/is coming. 성탄절이 오고 있다.
18 You/follow this road. 너는 이 길을 따라간다.
19 My mother/turned off the heater.
우리 어머니는 난방기를 끄셨다.
20 I/didn't get your message.
나는 네 메시지를 받지 않았다.

Step 3

02 clean　03 sad　04 are
05 They　06 scientist　07 walk
08 is

UNIT 05 영어 문장의 종류 본문 p.18

Step 1

02 평　03 청　04 부
05 의　06 명　07 의
08 평　09 부　10 청
11 명　12 의　13 청
14 부　15 의　16 명
17 청　18 부　19 의
20 의

Step 2

02 Let's play the violin. 바이올린을 연주하자.
03 Eat some vegetables. 채소를 먹어라.
04 He doesn't draw a picture.
그는 그림을 그리지 않는다.
05 Take a shower every day. 매일 샤워해라.
06 Does he go fishing with his brother?
그는 그의 남동생과 낚시를 가니?
07 Is he our English teacher?
그는 우리의 영어 선생님이니?
08 She doesn't think about her pet.
그녀는 그녀의 애완동물에 대하여 생각하지 않는다.
09 Do you watch movies? 너는 영화를 보니?
10 Let's study at the library. 도서관에서 공부하자.
11 They don't listen to music.
그들은 음악을 듣지 않는다.
12 Is she a nurse? 그녀는 간호사니?
13 Let's clean the house. 집을 청소하자.

UNIT 01~05 실전테스트 본문 p.22

01 ①
02 목적격 – him, them
소유격 – our, its, my
03 doesn't　04 ④
05 ③, ④
① I와 in 사이에 am 넣기
② Finishes 앞에 3인칭 단수 주격 대명사 넣기 or
Finishes를 동사원형(Finish)으로 수정하기
06 When
07 ①–ⓒ 나는 교회에 간다.
②–ⓐ 그녀는 그녀의 친구를 만난다.
③–ⓑ 그는 모든 쿠키를 먹는다.
08 ②　09 and　10 but
11 평서문, 명령문, 부정문, 청유문
12 (1) (A)re (2) (W)ow
13 KINDLY, 부사
14 BESIDE, 전치사
15 in　16 beautiful　17 on
18 ②
① 명사 ③ 전치사 ④ 대명사
19 ③
①, ②, ④ 형용사
20 A dog swims.
21 You should take a rest.
22 I want to eat some chocolate.
23 My homeroom teacher has two sons.
24 Mary and I study English in the library.
25 (1) When (2) It
26 This watch is his. 이 시계는 그의 것이다.
27 Don't[Do not] sit on the grass.
잔디 위에 앉지 말아라.
28 Those are my notebooks.
저것들은 나의 공책들이다.
29 Let's play table tennis this afternoon.
오늘 오후에 탁구치자.
30 I do not make noise here.
나는 여기서 시끄럽게 하지 않는다.

UNIT 06 과거를 나타내는 문장 본문 p.26

Step 1

02 Ann wasn't happy. Ann은 행복하지 않았다.
03 I was sleepy. 나는 졸렸다.
04 Were they winners? 그들은 승리자였니?
05 We were a team. 우리는 한 팀이었다.
06 Was she sad? 그녀는 슬퍼했니?

07 He was lucky. 그는 운이 좋았다.
08 I walked to school. 나는 학교에 걸어갔다.
09 We stayed at home. 우리는 집에 머물렀다.
10 They played soccer. 그들은 축구를 했다.
11 We were angry. 우리는 화가 났다.
12 I talked with my teacher.
나는 나의 선생님과 이야기를 했다.
13 Were you hungry? 너는 배가 고팠니?
14 The students were excited.
그 학생들은 흥분했었다.
15 Was he rich? 그는 부유했니?
16 She visited my house. 그녀는 내 집을 방문했다.

Step 2

02 Suji and I were not[weren't] late for school.
수지와 나는 학교에 지각하지 않았다.
03 He was tall. 그는 키가 컸다.
04 They were not[weren't] nice people.
그들은 좋은 사람들이 아니었다.
05 I was a princess. 나는 공주였다.
06 My dog was sick yesterday. 내 개가 어제 아팠다.
07 We were not[weren't] bad students.
우리는 나쁜 학생들이 아니었다.
08 You were not[weren't] 10 years old.
너는 10살이 아니었다.
09 It was not[wasn't] warm and soft.
그것은 따뜻하고 부드럽지 않았다.
10 They were not[weren't] Japanese.
그들은 일본인들이 아니었다.

Step 3

02 used	03 was	04 laughed
05 listened	06 wasn't	07 looked
08 were	09 was	10 loved
11 played	12 liked	13 weren't
14 smelled		

Step 4

02 called	03 jumped	04 opened
05 visited	06 learned	07 wanted
08 started	09 covered	10 turned
11 stayed	12 finished	13 listened
14 washed	15 passed	16 walked
17 remembered	18 looked	19 played
20 talked		

UNIT 07 일반동사의 불규칙 과거형 본문 p.30

Step 1

02 ×	03 ○	04 ○
05 ○	06 ×	07 ○
08 ○	09 ×	10 ×

Step 2

02 He wrote a book. 그는 책을 썼다.
03 I had two pencils. 나는 연필 두 자루를 갖고 있었다.
04 You made me angry. 너는 나를 화나게 했다.
05 The baby slept on the bed.
그 아기는 침대에서 잤다.
06 I got this shirt. 나는 이 셔츠를 얻었다.
07 She read these books. 그녀는 이 책들을 읽었다.
08 He went to church. 그는 교회에 갔다.
09 The bird flew[flied] over the tree.
그 새는 나무 위로 날았다.
10 They put bags on the table.
그들은 테이블 위에 가방을 놓았다.
11 My brother broke my glasses.
나의 남동생이 나의 안경을 부러뜨렸다.
12 This blanket felt soft. 이 담요는 부드러웠다.
13 She saw a movie. 그녀는 영화를 보았다.

Step 3

02 He went to bed. 그는 잠자리에 들었다.
03 She didn't[did not] eat lunch with her mom.
그녀는 그녀의 엄마와 점심을 먹지 않았다.
04 You didn't[did not] make a nice toy.
너는 멋진 장난감을 만들지 않았다.
05 They didn't[did not] meet my sister last night.
그들은 어젯밤에 나의 여동생을 만나지 않았다.
06 We read this book. 우리는 이 책을 읽었다.
07 Minji didn't[did not] have many pens.
민지는 펜이 많지 않았다.
08 My grandma got a message.
나의 할머니는 메시지 한 개를 받았다.
09 I didn't[did not] buy a dress for Minji.
나는 민지를 위한 드레스를 사지 않았다.
10 We didn't[did not] write a letter to our parents.
우리는 우리의 부모님께 편지를 쓰지 않았다.

Step 4

02 eat	03 went	04 meet
05 ○	06 read	07 ○
08 wrote	09 ○	10 didn't get
11 had	12 ○	

UNIT 08 현재진행형 본문 p.34

Step 1

02 ×	03 ×	04 ○
05 ○	06 ×	07 ×
08 ○	09 ×	10 ○
11 ○	12 ×	13 ×
14 ○	15 ○	16 ×
17 ○	18 ○	19 ○
20 ×		

Step 2

02 He is[He's] writing a poem. 그는 시를 쓰는 중이다.
03 I am[I'm] studying math. 나는 수학을 공부하는 중이다.
04 He is[He's] cleaning the room.
그는 방을 청소하는 중이다.
05 You are[You're] baking bread.
너는 빵을 굽는 중이다.
06 We are[We're] reading the newspaper.
우리는 신문을 읽는 중이다.
07 I am[I'm] going to bed. 나는 잠자러 가는 중이다.
08 I am[I'm] talking to my dog.
나는 나의 개에게 말을 거는 중이다.
09 I am[I'm] enjoying the horror movie.
나는 그 공포영화를 즐기는 중이다.
10 He is[He's] going to work.
그는 직장으로 가는 중이다.
11 You are[You're] growing some vegetables.
너는 채소를 기르는 중이다.
12 She is[She's] looking for the way to the museum. 그녀는 박물관으로 가는 길을 찾는 중이다.
13 My sister is watering the plants.
나의 여동생은 식물에 물을 주고 있다.
14 We are[We're] keeping the big secret.
우리는 큰 비밀을 지키는 중이다.
15 They are[They're] swimming to the island.
그들은 그 섬으로 헤엄쳐 가는 중이다.
16 You are[You're] helping your mother.
너는 너의 어머니를 돕는 중이다.
17 The dog is catching the ball.
그 개는 그 공을 잡는 중이다.
18 I am[I'm] making a spinach salad.
나는 시금치 샐러드를 만드는 중이다.
19 He is[He's] building a tall bridge.
그는 높은 다리를 건설하는 중이다.
20 You are[You're] asking a question.
너는 질문을 하는 중이다.

Step 3

02 snows, is snowing['s snowing]
03 is teaching['s teaching], teaches
04 plant, are planting['re planting]
05 fly, are flying
06 rides, is riding['s riding]
07 are falling, fall
08 eat, are eating['re eating]

UNIT 09 과거진행형 본문 p.38

Step 1

02 ×	03 ○	04 ×
05 ○	06 ×	07 ×
08 ○	09 ○	10 ○
11 ×	12 ○	13 ×
14 ○	15 ○	16 ×
17 ×	18 ○	

Step 2

02 He was doing the laundry. 그는 빨래를 하고 있었다.
03 The dog was barking at him.
그 개는 그에게 짖고 있었다.
04 You were jumping. 너는 점프를 하는 중이었다.
05 You were making a doll for Amy.
너는 Amy를 위해 인형을 만들고 있었다.
06 We were carrying bags.
우리는 가방들을 나르고 있었다.
07 I was flying. 나는 날고 있었다.
08 She was talking to my dog.
그녀는 나의 개에게 말을 걸고 있었다.
09 He was reading this magazine.
그는 이 잡지를 읽고 있었다.
10 She was going shopping with him.
그녀는 그와 쇼핑을 가고 있었다.
11 The baby was crying all night.
그 아기는 밤새 울고 있었다.
12 We were studying for the test.
우리는 그 시험을 위해 공부를 하고 있었다.
13 She was touching the wall.
그녀는 벽을 만지고 있었다.
14 They were playing the game.
그들은 게임을 하고 있었다.
15 Sam was drawing the picture.
Sam은 그림을 그리고 있었다.
16 He was breaking the glass.
그는 그 유리잔을 깨고 있었다.
17 The monkey was eating a banana.
그 원숭이는 바나나를 먹고 있었다.
18 She was cleaning the table.
그녀는 탁자를 치우고 있었다.
19 The box was falling from the top.
그 상자가 꼭대기에서 떨어지고 있었다.
20 They were holding hands. 그들은 손을 잡고 있었다.

Step 3

02 We were not[weren't] building the house.
우리는 그 집을 짓고 있지 않았다.

03 Was she staying here? 그녀는 여기 머무는 중이었니?
04 I was teaching Japanese.
나는 일본어를 가르치고 있었다.
05 Were you watching the program?
너는 그 프로그램을 보고 있었니?
06 He was hiding the treasure.
그는 보물을 숨기는 중이었다.
07 They were not[weren't] picking it up.
그들은 그것을 줍지 않고 있었다.
08 We were checking the camera.
우리는 그 카메라를 살펴보는 중이었다.
09 Was Sam using the chopsticks?
Sam은 젓가락을 사용 중이었니?
10 She was not[wasn't] climbing up a ladder.
그녀는 사다리에 올라가고 있지 않았다.
11 He was taking a shower. 그는 샤워를 하고 있었다.
12 I was calling James.
나는 James에게 전화하는 중이었다.
13 My mom was not[wasn't] making dinner for us. 우리 엄마는 우리를 위해 저녁을 만들어 주고 계시지 않았다.
14 They were singing a song.
그들은 노래를 부르고 있었다.
15 I was listening to music.
나는 음악을 듣고 있는 중이었다.
16 She was reading a newspaper.
그녀는 신문을 읽고 있는 중이었다.
17 Was he drinking milk? 그는 우유를 마시는 중이었니?
18 You were not[weren't] swimming in the river.
너는 강에서 수영을 하고 있지 않았다.

UNIT 10 미래시제 will과 be going to 본문 p.42

Step 1

02 Is
03 am not['m not]
04 play
05 Will you be[Are you going to be]
06 won't[will not]
07 go
08 visit
09 Are
10 you going to

Step 2

02 She will[She'll] meet him. 그녀는 그를 만날 것이다.
03 He is[He's] going to go to school.
그는 학교에 갈 것이다.
04 I will[I'll] play the piano. 나는 피아노를 칠 것이다.
05 I will[I'll] learn English. 나는 영어를 배울 것이다.
06 He is[He's] going to visit his grandparents.
그는 그의 조부모님을 방문할 것이다.
07 We are[We're] going to eat grapes.
우리는 포도를 먹을 것이다.
08 I will[I'll] be a teacher. 나는 선생님이 될 것이다.
09 We will[We'll] read a book. 우리는 책을 읽을 것이다.
10 You will[You'll] be a good student.
너는 좋은 학생이 될 것이다.

Step 3

02 am not going to['m not going to]
03 is going to['s going to]
04 will['ll]
05 are going to['re going to]
06 are not going to['re not going to]

UNIT 06~10 실전테스트 본문 p.46

01 ②
02 불규칙 동사(과거형) – went, ran, ate
규칙 동사(과거형) – called, talked
03 was taking
04 playing
05 ①–ⓒ Amy는 학교에 갔다.
②–ⓐ Sarah는 그녀의 사촌들을 만날 것이다.
③–ⓑ Henry는 스테이크와 밥을 먹었다.
06 ③
07 ④
08 ①, ③
② will이 있으므로 미래시제 문장
④ am이 있으므로 현재시제 문장
09 singing
10 went
11 현재시제, 미래시제, 과거시제, 과거진행형
12 (1) (g)oing to (2) (w)ill
13 looked, 과거(시제)
14 found, 과거(시제)
15 drinking
16 wearing
17 read
18 was playing
19 ②
① was riding이 있으므로 과거진행형
③ went가 있으므로 과거시제
④ am walking이 있으므로 현재진행형
20 ③
21 ○
22 ×
23 ○
24 ×
25 ×
26 (1) did (2) looking
27 I went to an English lesson last week.
나는 지난주에 영어수업에 갔었다.
28 I was sitting on the bench. 나는 벤치에 앉아 있었다.
29 I will play baseball next weekend.
나는 다음 주말에 야구를 할 것이다.
30 We ate pizza last Monday.
우리는 지난 월요일에 피자를 먹었다.

UNIT 11 형용사의 쓰임 본문 p.50

Step 1

02 honest
03 cold
04 great
05 green
06 fantastic
07 nice
08 wrong
09 warm
10 brown
11 sweet
12 dark
13 cute
14 expensive
15 interesting

Step 2

02 smart boy
03 something cold
04 anything slow
05 pink dresses
06 is
07 tastes
08 something pretty
09 famous singer
10 windy weather
11 is
12 something warm
13 nothing new

Step 3

02 They are poor. 그들은 가난하다.
03 The dolls are beautiful. 그 인형들은 아름답다.
04 He is a wise boy. 그는 현명한 소년이다.
05 Mary doesn't have anything special.
Mary는 특별한 어떤 것을 가지고 있지 않다.
06 His bicycle is blue. 그의 자전거는 파란색이다.
07 Jane has short hair. Jane은 머리가 짧다.
08 The clothes feel soft. 그 옷은 부드럽다.

UNIT 12 2형식 문장과 감각동사 본문 p.54

Step 1

02 He is a singer. 그는 가수이다.
03 She became a teacher. 그녀는 선생님이 되었다.
04 This soap smells like a fresh apple.
이 비누는 신선한 사과 같은 향이 난다.
05 He turned handsome. 그는 멋있게 변했다.
06 The candy tastes sweet. 그 사탕은 단 맛이 난다.
07 He got angry. 그는 화가 났다.
08 You look cute. 너는 귀엽게 생겼다.
09 These taste like a cheese stick.
이것들은 치즈스틱 맛이 난다.
10 That sounds easy. 그것은 쉽게 들린다.
11 This smells delicious. 이것은 맛있는 냄새가 난다.
12 This baby looks like a doll.
이 아기는 인형같이 생겼다.
13 Her son became a police officer.
그녀의 아들은 경찰관이 되었다.
14 I feel sad. 나는 슬프다.
15 She turns twelve. 그녀는 12살이 된다.

Step 2

02 is
03 looks like
04 turned
05 sounds like
06 am
07 looks
08 feel like
09 tastes like
10 feel like
11 a writer
12 sounds like
13 strong
14 terrible
15 angry

Step 3

02 ○
03 ×
04 ×
05 ○
06 ○
07 ×
08 ○
09 ○
10 ×

Step 4

02 ○
03 ×, angrily → angry
04 ×, beautifully → beautiful
05 ○
06 ×, happily → happy
07 ○
08 ○
09 ×, tastes 뒤에 like 넣기
10 ○

UNIT 13 꾸며 주기 좋아하는 부사 본문 p.58

Step 1

02 angrily
03 carefully
04 fast
05 very, slowly
06 well
07 safely
08 usually
09 sometimes
10 always
11 often
12 never
13 early
14 quickly

Step 2

02 hard
03 very
04 angrily
05 usually
06 late
07 early
08 seldom
09 well
10 rarely
11 fast
12 sometimes
13 wisely
14 always
15 never

Step 3

02 kindly
03 clearly
04 nicely
05 differently
06 freshly
07 strongly
08 silently
09 wisely
10 coldly
11 easily
12 heavily
13 newly
14 slowly
15 carefully
16 quietly
17 quickly
18 poorly
19 greatly
20 sadly

Step 4

02 ×
03 ×
04 ×
05 ○
06 ○

UNIT 14 비교급 문장 본문 p.62

Step 1

02 busier
03 younger

04 worse
05 bigger
06 shorter
07 more difficult
08 stronger
09 happier
10 more important
11 more expensive
12 harder
13 richer
14 more dangerous
15 better
16 later
17 sooner
18 faster
19 nearer
20 more popular
21 more excited
22 heavier
23 more interesting
24 prettier

Step 2

02 stronger than
03 taller than
04 more famous
05 younger
06 more exciting
07 smarter than
08 more beautiful
09 hotter
10 faster
11 louder
12 cleaner
13 older than
14 more expensive
15 harder than

Step 3

02 more interesting than
03 bigger than
04 faster than
05 higher than
06 colder than
07 more beautiful than
08 heavier than
09 more difficult than
10 smaller than

UNIT 15 최상급 문장 본문 p.66

Step 1

02 the easiest
03 the fastest
04 the worst
05 the biggest
06 the longest
07 the most dangerous
08 the strongest
09 the happiest
10 the most popular
11 the largest
12 the softest
13 the funniest
14 the most exciting
15 the smartest
16 the earliest
17 the most curious
18 the best

Step 2

02 tallest
03 best
04 biggest
05 the smartest
06 the most
07 most
08 funniest
09 the greatest
10 shortest
11 heaviest
12 worst
13 the hottest
14 fastest
15 highest
16 the most beautiful
17 richest
18 most difficult
19 best

Step 3

02 the smartest
03 the youngest
04 the brightest
05 the most interesting
06 the kindest
07 the longest
08 the most expensive
09 the best
10 the worst

UNIT 11~15 실전테스트 본문 p.70

01 ①
02 형용사 – lovely, good, red / 부사 – safely, never
03 (l)ike
04 ②
① 맑은 ③ 더운 ④ 바람이 부는
05 ③ 그 개는 빨리 달린다.
06 ②, ④
① 1형식 ③ 3형식
07 ④
08 taller than
Tom은 Sam보다 키가 크다.
09 most
10 the
11 T
12 E
13 g, r
14 l, w
15 m, t
16 sometimes
17 nothing
18 ③
19 fastest
20 ②
21 famous, 유명한
22 BECOME, ~이 되다
23 usually, 보통
24 SOUR, 맛이 신
25 often, 자주
26 more, than
27 I am always happy. 나는 항상 행복하다.
28 He is the funniest in our class.
그는 우리 반에서 가장 재미있다.
29 He didn't know anything about it.
그는 그것에 대해 어떤 것도 몰랐다.
30 She sometimes runs in the park.
그녀는 가끔 공원에서 뛴다.

UNIT 01~15 총괄평가 1회 본문 p.74

01 ③
02 셀 수 있는 명사 – box, cup, book
셀 수 없는 명사 – water, Korea, happiness
03 ① – 고, ② – 고, ③ – 물, ④ – 추
04 주격 – you 소유격 – my, your 목적격 – me, her
05 Those
06 Wow
07 well
08 It
09 is, 술부
10 brother, 주부
11 Open the door. 문을 열어라.
12 Was Tom the best student in our class?
Tom이 우리 반에서 가장 우수한 학생이었니?
13 Let's try this sweet potato. 이 고구마를 먹어보자.
14 That isn't[is not] your problem.
저것은 너의 문제가 아니다.
15 Sam went to the stadium. Sam은 경기장으로 갔다.
16 I wanted to buy some cookies.
나는 쿠키를 조금 사고 싶었다.
17 Maria bought a new umbrella.
Maria는 새 우산을 샀다.
18 I found an old watch in the drawer.
나는 서랍에서 오래된 손목시계를 발견했다.
19 She made a sandwich. 그녀는 샌드위치를 만들었다.
20 Kate read the bible last week.
Kate는 지난주에 성경을 읽었다.
21 riding
22 yawning
23 am driving
24 is reading a book
25 is playing soccer with his friends
26 are cleaning the house
27 will go camping
28 is going to find a new job
29 were studying math
30 will see a movie tomorrow
31 Do you want something sweet?
너는 단 것을 원하니?
32 It feels like a dream. 그것은 꿈 같은 느낌이다.
33 My father always arrives at 7:30.
나의 아버지는 항상 7시 30분에 도착하신다.
34 ②
①, ③, ④ 모두 부사임.
35 ④
「감각동사+like」 뒤에는 명사가 와야 함.
①, ②, ③ 형용사
36 ②
① fast의 부사형은 fast ③ kind의 부사형은 kindly
④ friend는 명사, friendly는 형용사임.
37 Tom is taller than Jack. Tom은 Jack보다 키가 크다.
38 English exam was easier than math exam.
영어 시험은 수학 시험보다 쉬웠다.
39 Tom is the smartest student.
Tom은 가장 똑똑한 학생이다.
40 This book is the most expensive in the world.
이 책은 세상에서 가장 비싸다.

UNIT 01~15 총괄평가 2회 본문 p.80

01 ①
② box의 복수형은 boxes ③ deer의 복수형은 deer
④ glass의 복수형은 glasses
02 셀 수 있는 명사 – car, spoon
셀 수 없는 명사 – Seoul, peace, juice
03 rarely
04 nothing
05 so, fast
06 That
07 in
08 lovely
09 son, 주부
10 new, 술부
11 ②
① 평서문 ③ 부정문
12 ③
① 청유문 ② 감탄문
13 ①
② 청유문 ③ 의문문
14 ①
② 명령문 ③ 의문문
15 ③
① 명령문 ② 명령문
16 He will not[won't] find the error.
그는 그 오류를 찾지 않을 것이다.
17 She saw something interesting.
그녀는 무언가 흥미로운 것을 보았다.
18 I didn't think about it.
나는 그것에 대해 생각하지 않았다.
19 She got the ticket last night.
그녀는 어젯밤에 표를 얻었다.
20 I went fishing last week.
나는 지난주에 낚시를 하러 갔다.
21 sleeping
22 washing
23 reading
24 was watching
25 were studying
26 thirsty
27 hungry
28 happy
29 ④
① in ~ 안에 ② on ~ 위에 ③ behind ~ 뒤에
30 ①
② under ~ 아래에 ③ behind ~ 뒤에
④ between ~ 사이에
31 Let's play football after school.
학교 끝난 후에 미식축구하자.
32 There was nothing special. 특별한 것이 없었다.
33 ② smell like ~ 같은 냄새가 난다
34 ③ '~이 되다'의 뜻이 필요하다.
① get → got[gets] ② turn → turned[turns]
35 ② 명령문의 부정형은 문장 맨 앞에 Don't를 쓴다.
36 ②
① 형용사 heavy의 부사형은 heavily
③ 명사 safe의 부사형은 safely
④ 형용사 beautiful의 부사형은 beautifully
37 English is more difficult than Korean.
영어는 한국어보다 어렵다.
38 She is taller than Sam.
그녀는 Sam보다 키가 크다.
39 Buddha is the wisest person in Indian history.
부처는 인도 역사에서 가장 현명한 사람이다.
40 He is the most famous singer in Korea.
그는 한국에서 가장 유명한 가수이다.